アフリカノオト

太鼓とカリンバの旅

コイケ龍一

河出書房新社

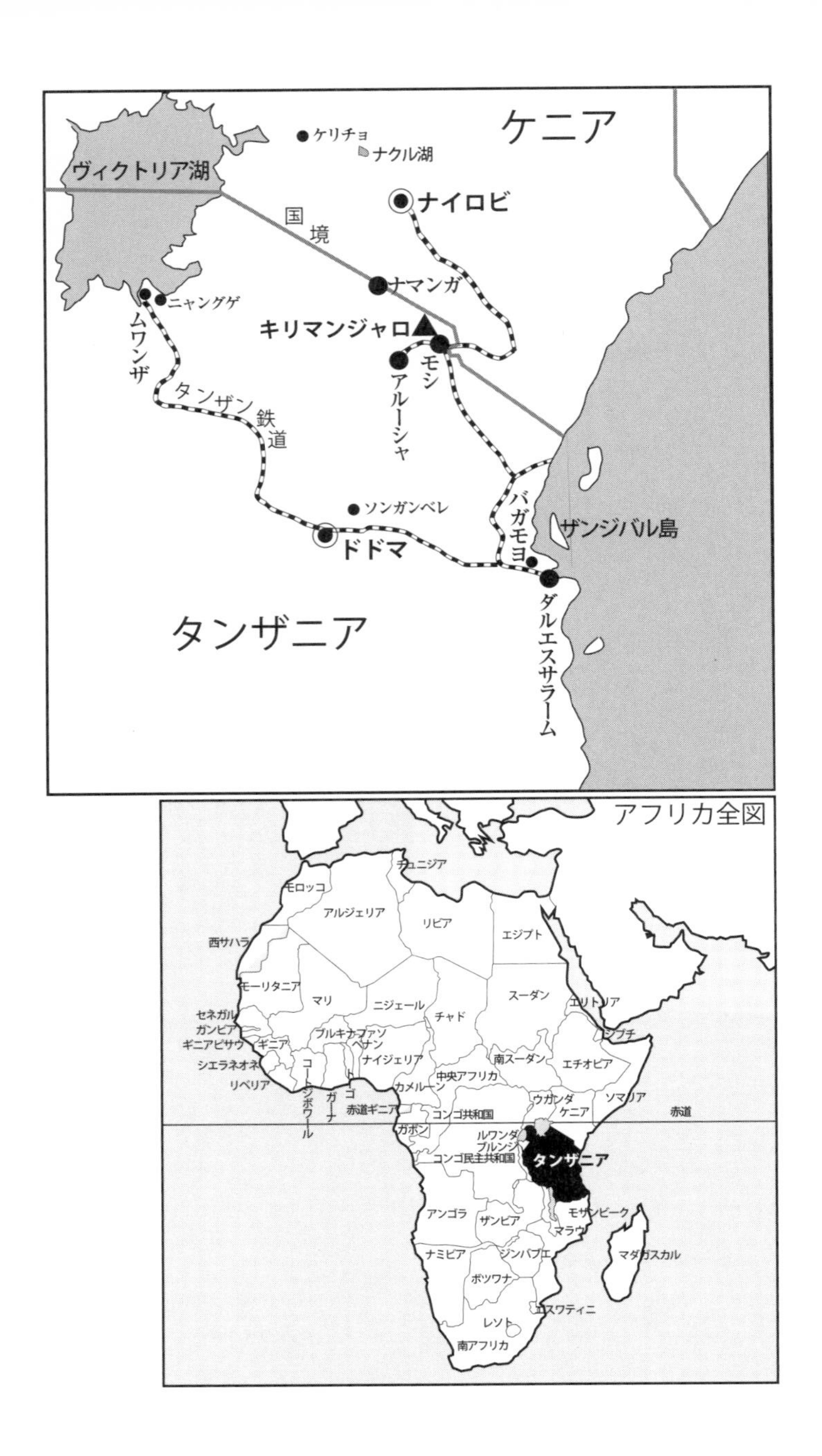
ケニア
ケリチョ
ナクル湖
ヴィクトリア湖
ナイロビ
国境
ナマンガ
ニャングゲ
ムワンザ
キリマンジャロ
モシ
アルーシャ
タンザン鉄道
バガモヨ
ソンガンベレ
ザンジバル島
ドドマ
ダルエスサラーム
タンザニア
アフリカ全図
チュニジア
モロッコ
アルジェリア
リビア
エジプト
西サハラ
モーリタニア
マリ
ニジェール
チャド
スーダン
エリトリア
セネガル
ガンビア
ギニアビサウ
ギニア
ブルキナファソ
ベナン
ジブチ
シエラネオネ
コートジボワール
トーゴ
ナイジェリア
南スーダン
エチオピア
リベリア
ガーナ
中央アフリカ
カメルーン
ウガンダ
ソマリア
赤道ギニア
コンゴ共和国
ケニア
赤道
ガボン
ルワンダ
ブルンジ
コンゴ民主共和国
タンザニア
アンゴラ
ザンビア
モザンビーク
マラウイ
マダガスカル
ナミビア
ジンバブエ
ボツワナ
エスワティニ
レソト
南アフリカ

プロローグ

チューニング

どんな楽器でも、楽器を奏でる時に必ずチューニングをする。
ギターでも、ピアノでも、チューニングされていなければ、
音がうまく出ないし、奏でることができない。
楽器にはそれぞれのチューニングがあり、
アフリカの楽器であるカリンバも同じだ。
カリンバ（親指ピアノ）をチューニングするにも、
いろいろなチューニングの仕方がある。
五音階、七音階、メジャー調、マイナー調。
七音階は、ピアノの白鍵の、ドレミファソラシド。
一番わかりやすいポピュラーなチューニングと言える。
ピアノの白鍵にも少しずつ違った調律がある。
Ａ（ラの音）を４４０Hzに合わせるか、４４２Hzに合わせるか、

もしくは古楽器のように、Aを415Hzに合わせるかで、
楽器の鳴り方も、ハーモニーも少し変わってくる。
古楽器の時代には、世界的な基準（A＝440Hz）はまだ存在していなかった。
同様に、僕が行っていたタンザニアでも、基準音を気にしていなかった。
ザウォセさんの出身地ドドマのゴゴの音階は、五音階になっていて、
ゴゴの合唱（ポリフォニー）は、独特で綺麗なハーモニーを奏でる。
タンザニアでは、
ゴゴしか使わないカリンバもこの音階でチューニングされる、
フクウェ・ザウォセさんは、自分の耳だけで、楽器を正確にチューニングしていた。
じつはこのゴゴ音階は、
倍音で構成されたもっともよく響く和音だということを、
ジャズピアニストの方から聞いたことがある。
倍音に詳しい、日本口琴協会の直川礼緒さんは、
この音階を使っている民族の研究のため、タンザニアまで調査しに行ったと言う。
口琴という楽器はまさに倍音を主にした楽器なので、その専門家が注目したくらいだから、
よほどこの音階は、倍音という観点から特別なものだと言えるだろう。

ゴゴ人は、その音階を何百年も前に感覚だけで生み出し、今でもこの音階で儀式を行なったり、生活の中の歌や、お祭りの時に奏でている。

ゴゴ音階を正確にチューニングしたカリンバは、ピアノの音階とは合わなくなってしまう。

近い音は出せても、ピアノでは奏でられない音楽なのだ。

逆に、アフリカの音階が、世界基準になっていたならとか考えてしまう。

チューニング一つとっても、これだけ違いがあって、それぞれの世界がある。

なのに、一つの基準だけで音楽というものを定めてしまうことも、
本来どうなのだろうと考える。

その点、太鼓は、
音階など気にしない。

皮を叩けば、いろんな音が出てくる。

一つの音しか出ないように見えて、叩き方でいろいろな色を表すことができる。

そしてどんな音楽にも、すぐに入っていける。

それぞれの音階が、その国の言葉だとすれば、
太鼓は、
どの国にも共通の世界の言葉かもしれない。

どんな世界の人にも、その世界の言葉に調和していけるのだから。
もしくは、
言葉以前の根源的な何かから、語りかけてくるのかも。
細胞や、サイボーグにすらも聴こえるような、
縄文人にも未来人にもわかるような、
普通の人にも、変人にも、
子どもにも、お年寄りにも、
宇宙人にも、酔っ払いにもわかるような、
そんな音楽。
この本の文章が、太鼓の音のように、
今のあなたの、どの部分かに共鳴して、
その場その場で、
ひらめきを与えるといいな、と思う。
一九九二年、
まだインターネットもない時代の、アフリカノオトです。

目次

＊本文中のイラスト・写真　著者

第一章　太鼓

生い立ち

僕は、東京で生まれた。
おじいちゃん、おばあちゃん、
父、母、姉、妹、僕の七人家族だった。
生まれつき、右目の視力が弱かったため、
保育園のときからメガネをかけていた。
小中学生時代をメガネとともに過ごした。
朝起きるといつも三〇分くらい ボーっとしている子だった。

子どものころ

母はそんな僕を見てよく、「ほら、しゃんとしなさい」と背中を叩いた。
家族の中で、なぜか僕だけ、地味で、おとなしい性格だった。
周りから「龍子ちゃん」と呼ばれることもあった。
絵を描くのが好きで、漫画ばかり描いていた。
みんなが外で遊ぶときも、家で漫画を読んだり描いたりしているのだった。
そんな僕を案じて母は、
夏の間だけ長野の山に連れて行った。
山では、林や川や湖へ行って遊ぶことができた。
小学生時代は、わりとわんぱくに遊んでいたが、
中学に入り、ほめられたかと思うと、けなされたり、
先生の顔色をうかがう優等生と、見捨てられグレていく劣等生のはざまで、
どんどんおとなしく、心がちぢこまっていった。
何より嫌いなのは、競争。
高校までは、どうにか卒業した。
「この先どうする?」
走ってきたレールが急になくなって、目標もなくなった。

家は、大学に行くのがあたり前という雰囲気。
大学、就職、結婚、住宅ローン、というあたり前のレールが目の前にある。
考えただけで胸が苦しくなった。
「あたり前」ができない。「あたり前」はほとんど苦行だった。
しばらく「進学を考える」という口実で家にいた。
引きこもりをするのも意外とガッツがいる。
いつまでも「ボーッ」とはしていられないものだ。
周りを見ては、不安と焦りがつのっていく。
とりあえず、アルバイトをすることにした。
いくつかのバイトをしてみたが、三日でやめてしまったり、すべて続かなかった。
「やる気があるのか！」
その言葉がついて回った。
「覇気がない！」とも言われた。「ハキ」の意味を知らなかった。
口ごたえすることばもなく黙っていると、
家のなかでもどんどん自分の居場所がなくなっていく感じだった。
生きる目的ってなんだろう？　生きていても仕方ないのじゃないか？

太鼓との出会い

そんなあるとき、
自由の森学園という高校に通っていた友だちのレオくんが山へ行こうと誘ってくれた。

長野の山小屋で、夜のキャンプファイヤーをはじめた。

自由の森の生徒たちはみんな芸達者で、ギターを弾いて歌ったりしていた。

僕は、ただ近くにあったバケツの裏を叩いていた。

バケツも結構いい音が出るものだと、そのときの感情を全部バケツにぶつけて、
炎に刺激されながら、原始人のように、ひたすら叩いていた。

一晩中、森の中に音がこだまして、火と煙とともに何かが溶けていくような不思議な感覚。

体をゆらゆらと揺すっているうちに、ムクムクと地面の下から湧き上がるエネルギー。

それが体を巡って天に昇っていくような、
それにずっと浸っていたい気持ちが、心とからだの中に巡っていた。

僕らは、インディアンをまねて、火の周りを叫びながら歩きまわった。

太鼓（バケツ）を叩いている、その瞬間だけ何も怖くないと感じることができた。

自分がここに存在して生きていることを、実感できた。
どこまでも続いていくリズムを、森がやさしく包み込んでいた。
次の朝起きると、なぜか心が軽くなっていた。
いつも引っ込み思案だった僕が、太鼓を叩くと、不思議と素直に話ができる。
その感覚が、楽しくて仕方がなかった。
僕はすっかり「太鼓」の不思議な魅力に取りつかれてしまった。
小さなボンゴを一つ手に入れて、どこへでも持っていった。
ボンゴを叩くとなぜか人が寄ってきた。
太鼓＝太古？
大昔の人々はどんな生活をしていたのだろう。
今でもそんな昔の暮らしをしている人はいるのだろうか？
そんなことを考えているとき、テレビで、
東アフリカの音楽家フクウェ・ザウォセさんの番組を見た。
ザウォセさんは、家畜の世話をしながら楽器を作ったり演奏して歌ったりしていた。
世界には、あんなにのびのび音楽をやっている人もいるんだ。
その生活のすべてが、のんきで、楽しそうで、自由だった。

番組を見終わって、僕も、あんなふうに生きたいと思った。
そんな生活を想像するだけでワクワクしてきた。

自由の森時間

山に行ったメンバーは、みんな自由の森学園の生徒だった。
誘われて、彼らの学校にボンゴを持って遊びに行ってみた。
自由の森という名前のとおり、自由な雰囲気に満ちていた。
授業に出ても出なくても、テストもない、落第することもないので、
自分の好きなことに没頭する時間がたくさんあって、
音楽がやりたい子はそればっかり、
スケボーがやりたい子はベニヤ板で坂などを作って、校庭で遊んでいる。
舞踊を教える先生も意気揚々と教え、
生徒たちも楽しんで学んでいる。
体育館で和太鼓の音がしょっちゅう響いていた。
人力飛行機を一生懸命作っている人たち。

もちろん中には何もしていないような人もいた。

暖かい芝生の上で、訳もなくギターを弾いている子。

男も女も関係なく、タメ口でダラダラと喋っている子、服装も一人ひとり個性的だった。

女の子みたいな話し方をする男。

変わった人が多かったが、みんな何か一芸、秀でている人たちが多かった。

「何をやってもいい」と許されている人たち。

みんなムダな時間を堂々と過ごしていた。

僕は、そんな彼らがなんだか羨(うらや)ましくて、
生徒でもないのに授業に出たり、毎日のように遊びに行ってはボンゴを叩いていた。

芸術家の子どもたちがたくさんいる、その空気に触れていたかったのだ。

一応籍を置いていた予備校からは自然と足が遠のいていた。

家出

父は、一般的な会社員で、いつも「忙しい」と言って会話はほとんどなかった。

いつの間にか大きくなっている子どもが何を考えているのか知るはずもなかった。

何も考えず、世間並みに大学を出るものだと思っていたのだろう。

ある夜、帰ってきた父が、僕に質問した。

「予備校はどうだ?」

「……」

「ナゼ返事をしない!」

無視していると、ゲンコツが飛んできた。鼻血を流しながら、ハダシで家を飛び出した。

真夜中の道を、自由の森学園の友だちの家の方に歩いて行った。

ハダシの足をカバーするために、工場の脇に置いてあった自転車を失敬した。

寒くて、殴られた鼻は痛かったが、なぜか気持ちはスッキリしていた。

家を飛び出す理由がほしかったのかもしれない。

何時間も自転車をこいで、明け方近く友だちの家についた。

「家には帰りたくない」と言うと、
友だちのお母さんは、「うちにいていいよ」と言ってくれた。

自分が何かを探しているということと、
それは、説明したくてもできないのだけれど、
漠然と、それが、

「自分にまっすぐ」ということだけは、確かだった。

芸術家渡辺さんち

家出をして、友だちの家に突然もぐりこんだのは、さすがに迷惑だったらしい。

紹介されて青梅の山奥に住む芸術家渡辺さんの家にしばらくお世話になることになった。

渡辺さんはどこの馬の骨かもわからない僕を突然引き受けてくれた。

そこは、いつも大音量でラジオをかけているおじさんと、沖縄出身のおばさん、
自由の森学園に通う娘さんと、たくさんのネコが住む家だった。

ネコたちはみんな捨てられていたのを拾われてこの家にきた。

一日中何をしていたとしても、誰も怒る人などいなかった。

それもそのはず、近くには、お寺と、お墓があるだけで、
隣の家まで何百メートルも離れていた。

僕は、渡辺さんちのほっこりした空気が好きだった。

そこにいるだけでなんとなく落ち着いて、
自分がなんの値打ちもないという不安から解放される気がする。

もともと、掘立て小屋があっただけの土地を買って、
そこにおじさんがプレハブをたくさん建てて、
一人一軒、小さなプレハブに住んでいた。
なぜだか、いつもいろんな人たちが遊びに来てお茶を飲んで帰っていく。
いままで会ったことのないような変わった人が多かった。
だれも、「キミはここで何をしているのか」、「学校に行っているのか」とも言わず、
いろんな話をしかけてきて、一緒にお茶を飲んだりした。
惨めな境遇にいることすら忘れてしまいそうになる。
一週間くらいいたったころ、渡辺さんが言った。
「このまま居候するなら、おれの仕事を手伝うか」
やはり、ここでも結局は仕事の話になるのか。
初めてやる石膏による造形の仕事は手に負えなかった。
「こんなのできないよ！」
途中で投げ出して、癇癪を起こし、あたりにある石膏を投げ、当たりちらした。
するとおじさんは、一向にこちらの怒りを相手にせず、
「投げるなら森に投げろ」

と言った。ひとしきり石膏を全力で森に向かって投げ続けると、ハアハア言いながら、怒りも収まっていた。

どこまでも突っ張っている僕を、おじさんは、ただ黙って見ていた。そして、

「おまえ、明日死ぬと思ってみろ、そしたら物事がシンプルに見えてくるから」

とだけ言った。

穴を掘る男

その頃、よくこの渡辺さんちに出入りしている自由の森学園の生徒がいた。

彼は穴を掘るのが好きで、このおじさん家の庭を借り、スコップ一つで深さ五メートル直径七メートルの大穴を掘り上げた。

無口で小柄の彼に、どうしてそんな力が備わっているのかが不思議だった。

おじさんも半分苦笑しながら見守っていたが、彼が何を考えているのか理解できないと言っていた。

その時一七歳だった彼は、なぜそんな穴を掘ったのだろう。

僕は、なんとなく彼の気持ちが理解できた。

彼が見たかったのは、この世界の裏側なのではないかと思った。
もちろんスコップ一つで穴を掘ることで、世界の裏側に行けるわけはない。
この平然と続く世界の中の常識を、一度自分の体でひっくり返してみたい。
という彼の意気込みに圧倒された。
そこに意味があったとしても、なくても。
おもいっきり、大きな間違いだったとしても。
普通では、やろうとしないことをあえてやってみよう。
そんな彼の意気込みが、うれしかった。
そんな彼と、一緒の部屋で寝ることになった。
隣で寝ているまだ会ったばかりの彼に、僕は質問をした。
「明日死ぬとしたら、君は何をする？」
真っ暗な部屋に、言葉だけが宙に浮かんで止まっていた。
「そうだね、どうするだろうね」
「僕だったらアフリカへ行くな」と僕がつぶやくと。
「じゃあ、行けよ」と彼は脅かすように言った。
その一言で僕は「よし、行こう！」と思った。

行ったからってどうなるんだろうとはその時、考えないことにした。
家を出て、三週間が過ぎて、無言で家に帰った。
アフリカ行き一年オープンのチケットを調べると二〇万円。滞在費一〇万円。
造園のアルバイトをした。今度はやめなかった。
一五万円たまったとき、のこりの「一五万円を貸してほしい」と親に言った。

第二章　ハダシの村

初めの一歩

アフリカに着いたとき、まだ夢の中にいるようだった。
ケニアのナイロビ――。
広がるサバンナの空港に着き、予約してあったホテルまでタクシーで向かう。
アフリカでは、キリンやライオンのそばでキャンプするのだろうと思っていたのに、
街に近づくにつれ、高いビルが立ち並び、車もたくさん走っている。
スーパーマーケットだってある。
ホテルでは、タキシードを着た黒人ホテルマンが僕を迎え、

テキパキと荷物を持って、
エレベーターで上がっていった。
ベッドとシャワー、テレビもあった。
テレビではなぜか、白人の映画をやっていた。
外を見ると、たくさんの黒人たちが、
意味もなく突っ立っている。
あふれんばかりの黒人を乗せたバスが、
乱暴に突っ走っていた。
なんというたくさんの黒人！
あたりまえだ、黒人の国に来たのだから。
アメリカ映画の乱暴な黒人のイメージが頭をよぎる。
「こわい」と思った。
三カ月もやっていけるだろうか？
何もしなければ何もしないで時間が経ってしまいそうな空間、
何をしようか？　僕は楽しめるのだろうか？

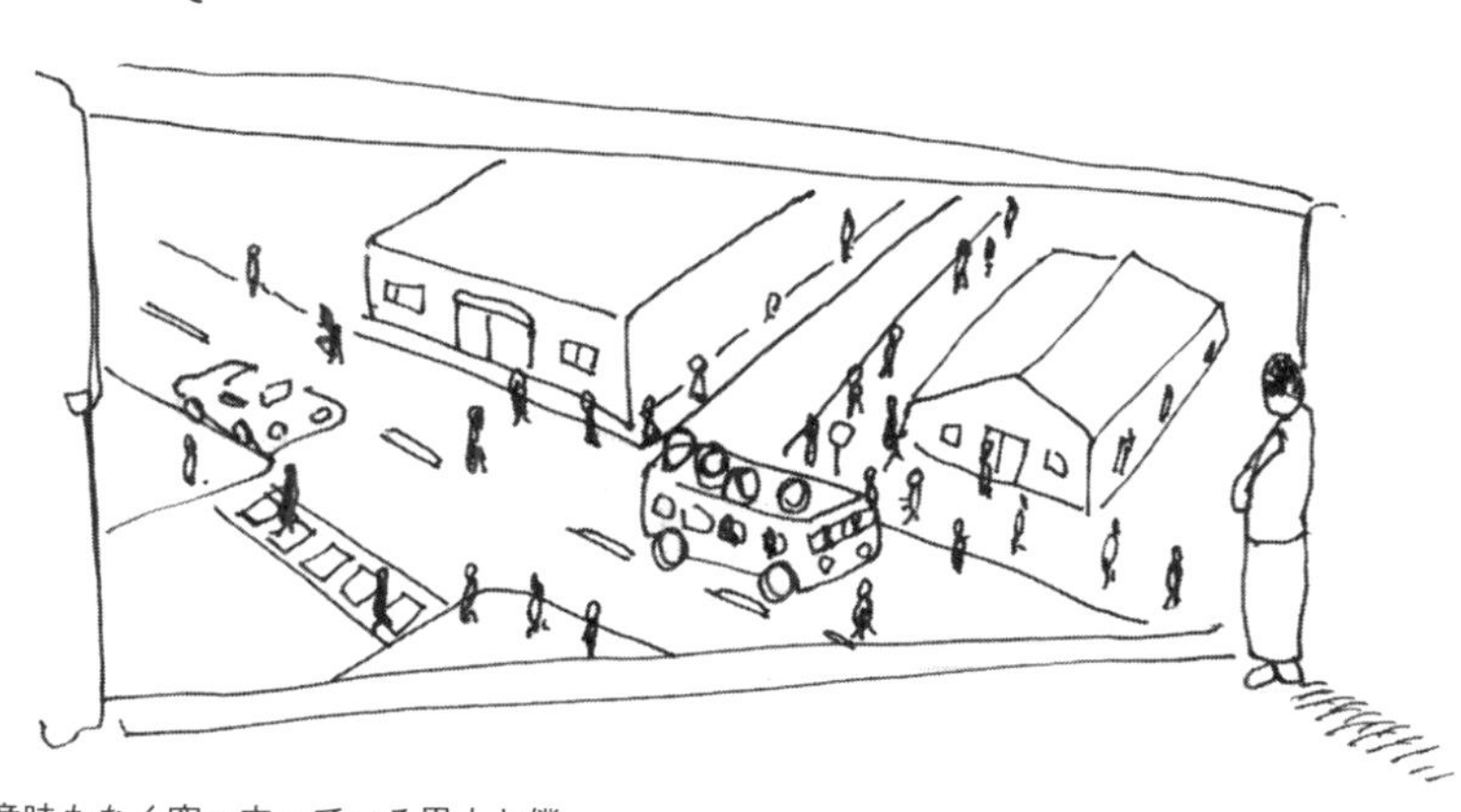

意味もなく突っ立っている黒人と僕

リュックからテープレコーダーを出して耳にイヤホンを押し込んだ。

いつも聴いているアメリカのロックが、いつも通り、鳴っている。

なんだろう、いつもどおりに感じられない。

目の前の現実はそんなもので気を取り直せるほど、軽くない。

これは漫画でもなければ、テレビ番組でもない、リアルな旅がはじまったのだ。

ジャンボ！Africa

あっという間に、アフリカ二日目の朝がきた。

眠い目をこすりつつ、チェックアウトの時間にせっつかれて、立派すぎるホテルを出た。

通りに出たとたん、

「ジャンボ！　ハローマイフレンド」いきなり黒人が話しかけてきた。

「ハハ、ハロー」うれしいなー。

はじめて会ったのに友だちになってくれるの？

と思いきや、彼は、野生動物を見にいくサファリツアー勧誘だった。

リュックと寝袋を抱えた僕のスタイルは、一目でカモに見えたのだろうか。

サファリには行かない、慌てて首を横に振ったが、

「とにかく、こっちへこい！」

と手招きする。せっかくアフリカでの初めての誘いだから、
どんなもんか、ついて行ってみることにした。

つられておそるおそる階段を登ると、
事務所にしては、いいかげんなサファリのオフィス。カタコト英語で、

「どこから来たか？　すぐサファリに行くのか？」きかれた。

勧誘だか、雑談だかわからない調子だ。また首を振ってサファリに行く気はないと言うと、

「あら、そう」

と言ったきり、チャイを飲みながら仲間とお喋りをはじめた。

まるでずっとパーティーだったみたいに、楽しそうにしている。

本当にサファリの仕事をしているのだろうか？

陽気な人たちを見ていると、僕はカモでもなんでもない。警戒していた自分がバカみたい。

「じゃあ」と言うと、

「サファリ行きたくなったら来てね、バイバイ」

とあっさり手をふった。これがアフリカの人たちの働く現場なのか。

あんなに仲よく楽しそうに仕事をしている人たちが、東京にはいるのだろうか？

今日は、どうする？

まず、ガイドブックに載っていた「イクバルホテル」に泊まる宿を決めた。

一泊四五ケニアシルだというから三六〇円（一ケニアシルが八円）。なんという安さだ。

ガイドブックを片手に床屋に行った。

「フジャンボ。（こんにちは）」

本に書いてある言葉通りに言うと、

「シジャンボ」と返ってきた。

通じた！　初めてしゃべるスワヒリ語。

緊張してドキドキしながら、おそるおそる話してみた。

向こうもよく聞こうと、耳を近づけてくれる。伝わったのかな？

とニコッとすると、向こうもニコッと口ひげに白い歯で笑ってくれた。

うれしい。僕はアフリカ人と話せた。

髪を切ってもらっている間中、笑顔がおさまらなかった。

「レゲエ（ラスタ）にしてね。」と英語で言うと、ニコニコうなずいている。

わかったのかと思っていたら、なぜかどんどん短くなっていく。

しまいには、短髪にされてしまった。

これ違うのだけど、と言おうとしたが、ニコニコしているので、しかたなく、

「アサンテ（ありがとう）」と言って店を出た。

セントラルパークという公園に行ってみた。

ごみごみした街を歩き、広い公園に出る。

芝生にごろごろ寝ている人たち、木かげで涼む人々、広い芝生に背中をまるめて、ただただ、ボーっとしているおじさん。

道端にも座っている人たちがいっぱいいる。

そうか、これもアフリカだ。よしオレもやってみよう。

場所を探すけどなかなか気に入った所がみつからない。

しばらくうろうろしていると、

「おーいこいよ、こっちにこい」

と木の陰に座っているおじさんたちが、だみ声を出して僕を呼んでる。

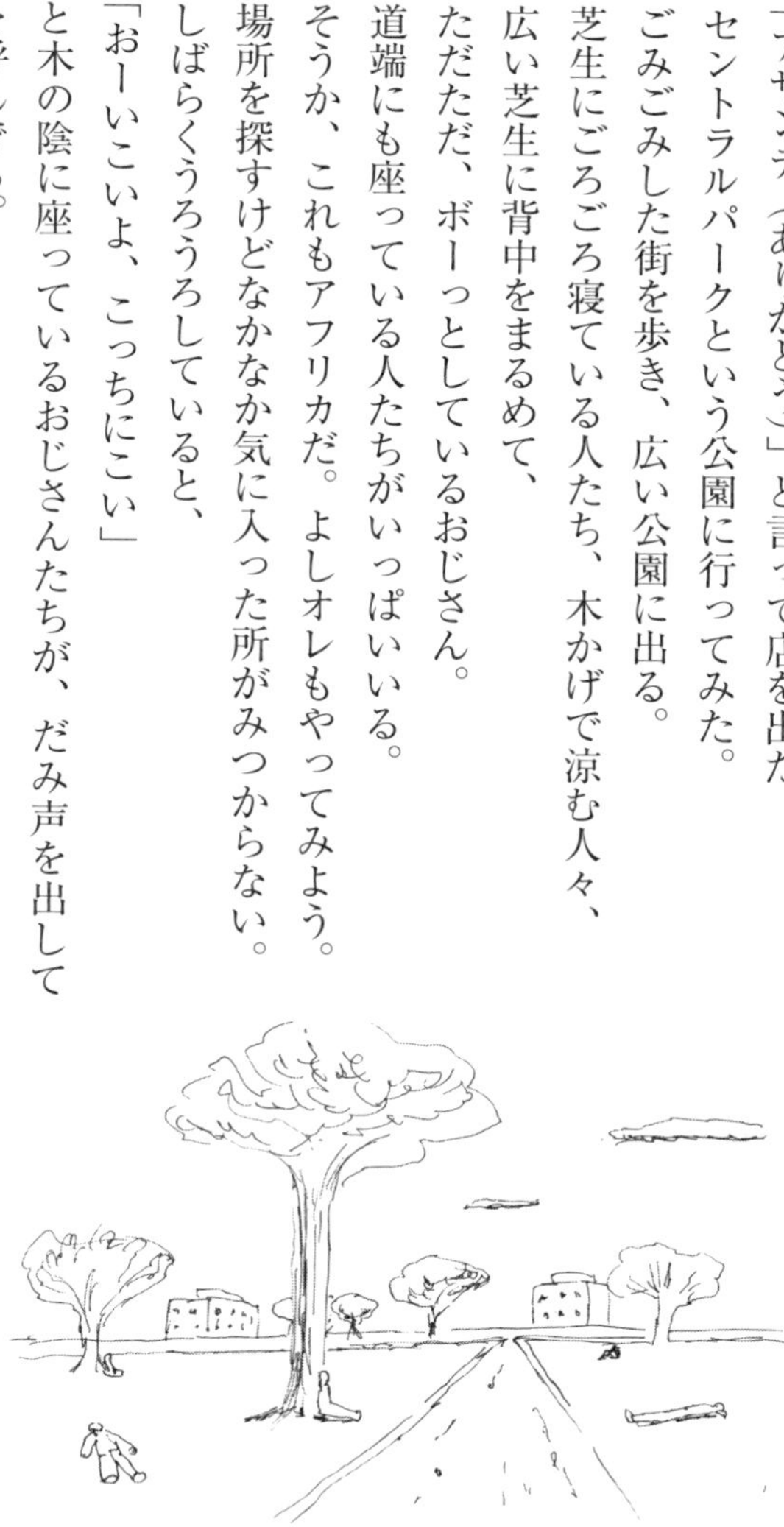

セントラルパーク

なんで僕を呼ぶんだろう?

断る理由もないので、近づいて行ってみた。

おじさんたちは楽しそうに、そこで座っていて、

「どこから来た?」とかいろいろ尋ねてくる。

なんだか少し怖くなって、すぐに彼らにバイバイを言って、また歩き出した。

これもきっとアフリカなのだな。やたら、人なつっこい人たち。

なんの目的もなく話しかけてくる。

その明るさと、無邪気さが、ひとつひとつ不思議だった。「どうして?」たぶん、話してみたかっただけなのだろう。木の下にいい場所をみつけ、座ってみる。

そうか、これもアフリカ。彼らに仲間入りした気分になって、しばらくじっとしていたが、アリンコに食われるだけだった。なんで彼らはずっとああしているのだろう。

ごろごろしているだけというのもなかなかできることじゃない。

「さすがアフリカだ」

また道を歩いていると、きれいな女の人が来たので、アフリカ人のまねをして、少し手を上げてみた。すると向こうも、ちょっと手を上げた。うお〜ヤッター、僕なんかにも挨拶してくれるの? こんなささいなことが本当にうれしかったりする。調子に乗って次の男の人

にも「ハロー」と言うと、ジロッと僕をみて通り過ぎていった。よく見ると、その人は警察の人だった。

「イクバルホテル」にチェックインして、ドミトリーの部屋に入ると、イギリス人のバックパッカーがいた。アレックスといった。

アフリカを六カ月旅して、これから二年ぐらいアフリカで過ごすという。

二十五歳の彼は目を大きく開いて、人の話をじっと聴く変わった雰囲気を持っているやつだった。まだ東京のペースでいた僕は、彼がゆっくり話すことに驚いた。

沈黙がいくら続いてもまったくお構いなしだ。

二人でインド料理を食べに行った。

彼はベジタリアンで、イギリスで農業をやっていたこともあるらしい、地球環境のことを考えていて、そのためにアフリカを知りたいと思い、キリマンジャロのそばで働きながらリサーチすると言っていた。アレックスは、

「世界が終わる前に必ず何かが起こる、そのために僕は旅しているんだ」

と話していた。僕は驚いた。そうかこんな生き方もありなのか。宿に戻ると、

「やあ」

と日本人に呼び止められた。彼はこれまで一年旅して、あと一週間で日本に帰ると言う。

僕が二〇歳で、これからアフリカを一人旅すると自己紹介すると、

「ひとこと忠告しておくけど、気を許しちゃダメだよ。誰一人信じられない。極端に言えば、この僕さえ信じちゃいけないんだ。アフリカはそういう所だよ」

と言う。彼の顔に長旅の疲れが出ていたように見えた。

アレックスと部屋に帰り、彼のハーモニカと僕のボンゴでセッションした。

ドミトリーの部屋中に鳴り響く大音量になって一時間ぐらい楽しんだ。

誰一人文句を言う人などいない。さすがアフリカだ。

ホテルの一室の電気が消え、同じ部屋になった四人の若者たちは眠りについた。

僕が「グッドナイト」と言うと、しばらくして「good night」と声が返ってきた。

今までの不安が綺麗に消えていた。

暗い天井の高い部屋の窓からは、うすい街の灯りとざわめきが聞こえていた。

これがアフリカ旅行なんだ。僕は自分を一つ大きく感じた。

目を閉じて、さっき会った日本人の言葉を思い出した。

きっとえらい目に遭ってきたのだろうが、僕はそれが少しさびしいことだなと思った。

「そんなことはない。人は誰だって本当は信じられるんだ、僕は自分でそのことを確かめる」

と熱く、心の中で思った。

夢のアフリカ

「あら？　こんにちは」

飛行機の中で知り合った写真家真美さんに街中でバッタリ会った。

ドバイのトランジット時に、『星の王子さま』という本を読んでいた人だ。

ケリチョという田舎に、ケニア人の友だちを訪ねに行くと言う。

「一緒に行ってもいい？」

「いいけど、電気も車もガスもないとこだよ」

それを聞いて、なおさら僕はワクワクしてしまった。

二人で街中の雑踏をかき分けながらムラウ行きの車を探していると、昨日会ったサファリの勧誘員がいた。

「ジャンボ！」と声をかけたら、「ハーイ」と笑顔で握手して通り過ぎて行った。

真美さんは「知り合い？」とまゆをひそめ、「あまり相手にしちゃダメだよ」という顔をした。

真美さんは、もう十回もアフリカに来ている。ベテランというか、パワフルでたくましい風格があった。そんな彼女に出会えてラッキーだった。

僕たちが乗った車は、五人乗りの普通車なのに十人ぐらい乗っていた。

さらに、ボロボロの服を着て、バッグにパンパンに荷物をつめ、持てるだけの荷物をかかえたおばちゃんとおじちゃんが、車に押し掛けてくる。

きたない服だが顔はしわだらけのいい顔をしていた。あっ、この人たち、泣いているのかもしれない。そのときとっさにそう感じた。僕は何をしていいかわからずに、思いっきり体を縮こませて乗せてあげた。

車の中は、誰かが冗談を言い、みんなそれで笑っていた。

なんの悪気もなく、明るい日ざしの中、地平線へ向かって、楽しく車は走っていた。

遠くの大きな湖（ナクル湖）のあたりがピンク色にそまっていた。よく見ると、そのピンク色が少しずつ空にせり上がっていく。

「あれはフラミンゴだよ」真美さんが教えてくれた。

地球のはてまで、地平線まで何もない広大な土地が続いていた。

これが同じ地球なのだろうか。なんて美しい姿をしているんだ。

僕は感謝の気持ちでいっぱいに胸が満たされていくのを感じた。

アフリカ、アフリカ。

このときのことを思い出すだけで、生きて、生き続けていけると思った。

グレートリフトバレーと呼ばれる巨大な地球のわれめに、日の光が横から差し込んで、まるでこの世のものとは思えない。大きな川、その川の透明さは、はかりしれないくらい透明で底が見えるようだった。涼しい緑の風が、窓のすき間から入ってきた。

僕らは、予定よりも早くケリチョのキップケリオンという村にたどり着いた。家がほんの二、三軒そばにあるだけの、僕の夢見ていたとおりの田舎の村だった。これが僕にとって、まったく新しい経験だなんて、この村の人にはさっぱりわからないことなのだろう。

若者たちが、キオスクのような店にたまっていた。みんな活発で強そうだった。手を上げて挨拶をすると、ものめずらしそうにこっちを見て笑われてしまった。

真美さんは一人で重いカメラを二つも持ちながら、きついでこぼこの坂道を山の方へ登っていった。

一時間ぐらい歩くという。僕は、すぐに息をきらしてしまった。キオスクにいた子ども二人が、何も言わずに僕の荷物を持つと、背負ってそのまま登っていった。僕は、さっき笑われたとき、少しでもムッとした自分を恥ずかしくなった。

真美さんは慣れた調子で彼らと話をはじめた。彼らも年上には敬意を示すのがうかがえる。

年を聞くと、僕よりも少し年下らしい。でも問題にならないほどたくましく坂を軽々と登っていくのに、僕は何も持たないのにグズグズと、ついて行くのがやっとという感じだった。

とうとう山のてっぺんに着き、彼らにありがとうを言って、ハーモニカとＵＢ40のカセットテープをあげた。

「それじゃあ持ち物がすぐ全部なくなっちゃうよ」

と真美さんに言われたが、それだけありがたく思った。

とうとうその家にたどり着いた。

あまーいチャイ

エミリーは真美さんの友だちで、その家の奥さんだが、いなかった。

ジョフリーという少年が、真美さんと僕を笑顔でむかえてくれた。

会えたことのうれしさを顔いっぱいにうかべて、歯をむき出しにして笑っていた。

彼らの家の庭に座らされ、真美さんは話に夢中になっていた。

僕は、いきなり「アフリカに行く」という夢がかなってしまったので、どうしていいかわからず、ただボーっとしていた。

周りには広大な山々がゆったりと広がっていた。

そしてその向こうに地平線が見える。遠くの遠くまで見わたせる所だった。

真美さんは、

「ここにいると心がこ〜んなに（手をいっぱいに広げて）大きくなっちゃって、東京に帰るとすべてが小さく見えてきちゃうのよね」

と言っていた。そのとおりだと思った。

あまい、あまーいミルクたっぷりの紅茶、これをチャイと呼んだ。

しばらくすると、少年が僕らにそれを持って来てくれた。

あまいチャイを飲みながら、その広大な景色の中に、
ヴィクトリアの滝のしぶきをあびた大きな太陽が、
血のように真っ赤に沈んでもぐっていくのが、本当に美しく見えた。

太陽が沈むと、文字どおり真っ暗になってゆく。

電気がないので、暗くなってくる恐さを思い出し、
夜を越せるのかどうか少し心配になった。

真っ暗の中を奥さんのエミリーが帰って来た。

真美さんと再会した彼女の喜びようといったら、全身全霊、体中で喜んでいた。

部屋中がものすごい明るさで輝いているようだった。

これがアフリカなんだ。人をこれほどまでに好きになれる。

彼女は二時間くらい、狂ったようにうれしがっていた。

僕は、果してその場にいていいものなのか少し不安になったが、「彼らに出会えて、生きていて本当に良かった」と思った。こんなにも素直であったかい人間たちがいたんだ。

彼らの明るさには本当に圧倒された。僕は疲れて死にそうになっているのに、彼らは全然疲れないのだ。外に出たら、その一家の主であるコエチさんが、星をみながら落ち着いたように話しかけてくれた。

「星がきれいだろ」

本当にきれいだった。

今までみたことない無数の星が輝いていた。

他になんの明かりもないと、真っ暗の中の空はとても明るく、人がとてもあったかく感じられる。

しばらく、無言のまま二人で星を眺めていた。

夜遅くにまたあまーいチャイを飲み、眠った。

その夜、アリンコに食われながらも異常に深く眠った。

ケリチョで泊まった小屋

まるで二十年間の疲れを癒すかのように。

ハダシ

三分もたたないうちに、朝が来た感じがした。
丸太とトタン屋根でできた納屋のような小屋の中、小さな窓から明かりが入ってくる。
外ではもう人の話し声がする。ああ僕は黒人たちの中にいるんだ。
彼らの言葉を話せないのが歯がゆかった。
エミリーの家から、白い煙が上がっているのでそちらへ行ってみる。
石が三つおいてあるだけのシンプルなかまどに、薪で火がおこしてある。
周りが煙で白くもやがかかっている中に、真美さんとエミリーの笑顔が見えた。

真美さんはとっくに起きていたようだった。

エミリーは丸太から切り出した小さなイスに、大きいお尻を乗っけて料理をしていた。

お茶を沸かすのも、料理を作るのもみんなこのかまどでやるのか、キャンプのようだ。

お喋りをしながら、楽しそうにやっていた。

しばらくして、子どもがチャイとパンを僕に持って来てくれた。

子どもたちは朝早くから、歌をうたったり、笑ったりしながら畑仕事をしていた。

僕はすぐに、裸足になってとうもろこし畑に入っていった。

彼らの話の意味はよく分からないけど、おもしろいということはわかる。

みんな、畑の草取りをしている時間より笑っている時間の方が長い。

お兄ちゃんのジョフリーは弟のアルビンの話を辛抱強く聞いていた。

小さい女の子たちは、ジョフリーのことをからかったりして、時々お兄ちゃんは手をふり上げておどかすと、みんなとうもろこしの芽を踏まないように真剣に逃げた。

その中にいたら、忘れていた子どものときのにおいがしてきた。

子どものころ、露地で日が暮れるまで遊んだときの、なつかしい、ワクワクするにおいが。

僕は、そうだ、これでいいんだ、と思った。

エミリーの兄弟が、自分の家を建てていた。
大人になると自分の住む小屋を自分で建てる。
一人一軒六畳から八畳くらいの小さな小屋。
柱の間に小枝を巻き、壁に泥をペタペタ塗りつけて、昔の日本の土壁みたいな感じだ。
屋根には、カヤのようなものの束が重ねてあったり、トタン屋根だったり。
こつこつと一人で作れば、一カ月くらいでできてしまいそうな家。
周りを見渡すと、
同じような家がポツポツと立っている。
一軒一軒大きさも形も少しずつ違う。
それぞれの個性が出ていて面白い。
「日本人は一生働いて家を買うんだよ」
と話をすると、彼らは目を丸くして、
まったく理解できないと言っていた。
「君も家を作ってここで暮らせばいいよ」
とエミリーの兄弟は、僕に言った。
「え、でもまだ結婚もしてないし」と言うと、

一人で作る小屋

アフリカの子どもたちと

「こっちで結婚すればいいさ」と答えた。

なんでもシンプルなことに思えて、「それもいいか」なんて気軽に考えてしまう。でも、彼らのように、毎日畑作業をすると考えただけでも気が遠くなった。

この時期は雨季だった。

雨は、トウモロコシにも僕の体にもちょうどよかった。

ジョフリーたちと丘の上に散歩に出かけた。一時間くらい歩くと、頂上にたどり着いた。

三六〇度見わたせる綺麗な風景に見とれているのもつかの間、急に暗い雲が近づいてきた。

大粒の雨が頭や体中に落ちてきた。

どしゃ降りの中を家に向かって走った。

彼らの真似をして、靴を家に置いて来ていたので、ときどき裸足にトゲがささって痛みがおそって来た。

僕はうれしかった。今までこんな風に走ったりしたことがなかった。

一生懸命走る理由が見つかってうれしかった。

何に向かって走っているのか、なんでここで走っているのか、
さっぱり分からなかったけど、うれしかった、そんな自分がうれしかった。

途中で、葉っぱを傘にすることを教わり、大きい葉っぱを傘にしながら、走った。

僕は、どんどん元気になる気がした。

毎日が新しいことの連続で、何かから解放されていくような気がした。

緑いっぱいの小川のほとりに行水をしに行った。

男四人で裸になって小鳥のさえずる中、体を洗う。

黒人の裸を初めてみたのはこのときだった。裸になってもあまりに自然なので、なんの違和感も感じなかった。むしろ彼らは裸のままが一番綺麗だった。

道すがら、村人に出会うたびに、みんな握手する。

会えば必ず握手する。嫌いだろうが、好きだろうが、握手している。

それはきっと、みんながみんなを必要としている、みんながあっての自分なのだとわかっ

ているということなのだろう。こういう習慣を失ってほしくないなと思った。

ふと、青梅のおじさんが言っていた言葉を思い出した。

「明日死ぬと思ってみなよ、そしたら物事がシンプルに見えてくるから」

ここの人たちは、何もかも、生きるということに直結したことをしている。

彼らの、真っ直ぐな目が、それを物語っていた。

部屋にいる。日本だったらそこにじっとしていられるが、ここには電気がない。

あかりは外にしかない。

嫌でも外に出なければ、何も起こりはしないのだ。

子どものころから、外で遊ぶより家の中で絵を描いていた僕は、引っ込み思案。

でもここにいると、本を読むにしても、日記を書くにしても。引きこもっていることはできない。

そしてその向こうには、素晴らしい風景が遠くまで続いているのだった。

僕は、いつまでもその風景を、忘れずに生きたいと思った。

だけど、なまけものの僕は、雨の日が好きだった。

せまい暗い小屋で、みんなで飲む、あまーいあまーいチャイはとっても美味しかった。

天使の歌

エミリーの子どもたちは、とてもかわいかった。

女の子が三人、男の子が五人、下は一歳くらいのもいた。

僕が持って来たボンゴを見つけて、何かやってと言うので、「マライカ（スワヒリ語で天使）」を歌った。

とても喜んでくれて、そのお返しに、七人が思いっきり大きな声で歌ってくれた。

心の底から楽しそうに歌っている姿は、まるで小さな天使のようだった。

手拍子だけでみんなで歌うこういう歌があるって幸せなことだなぁと思った。

その歌の歌詞に、

「君が笑えば、そこに神様がいるんだよ」

というのがあって、なるほど彼らはいつも神様のそばにいるんだなぁと思った。

夜がふけてきて、また歌が盛り上がってくると、おばあさんがドアを開けて入って来た。

おばあさんは、

「みんながこうやって楽しくできるのも、神様がくださったことなんだよ、ありがたい、ありがたい」というようなことを、しゃがれ声で言って帰っていった。

見ていないようで、おばあさんはみんなを見守っているんだなと思った。

そのときから、来る客、来る客が「マライカ」を歌えと言ってきて、なんべんも歌った。

初めは、みんな僕のことを、どんな奴なのかわからないでいたようだったが、歌を歌ったことで、どんどん打ち解けていった。

マライカは、東アフリカの人たちみんなが知っている恋人を天使にたとえたラブソングだ。

日本人がそれを歌うのが、とてもおもしろかったようだ。

やっぱり歌は、人を結ぶ力があると思った。

日曜日、僕はジョフリーに連れられて教会に行った。

この田舎の村では、教会が、周囲の人が週に一度、顔を合わせる社交の場だった。

せまい学校の一室のような所に、百人ぐらい入っていただろうか。みんな浮かれてガヤガヤしている。牧師のような人のスピーチで、みんなが静まった。

ジョフリーが僕を紹介してくれた。僕はつたない英語で自己紹介をした。僕が、

「ハバリガニ（今日は、元気ですか?）」と言うと、
一斉にみんなの大きい声が「ムズリ（はい元気です）」と答えた。

緊張して何をしゃべったか覚えていないが、みんなが温かく迎えてくれたことだけは覚えている。最後に、

葉っぱの傘

「アサンテ（ありがとう）」

と言うと、

「カリブ（ようこそ）」

とまたみんなの大きい声が返ってきた。

日本から来た若者に対して、この村の人たちは健康的な興味と、屈託のない笑顔を持って迎えてくれた。

今まで感じたことのなかった、悪気のないあたたかさと素直さを感じた。

あまりにいい人たちすぎて、僕はどうしたらいいかわからなくなってしまった。

その後、聖歌隊の歌があった。タンバリンと太鼓一つなのに、ものすごい迫力だった。

僕は持っていたウォークマンを、ジョフリーに聞かせた、初めて見た物だったのだろう、これはすごいね、と「ＪＢ（ジェームスブラウン)」を聴きながら踊り狂っていた。

しばらく楽しんだ後、彼はウォークマンを置いて、少し離れて眺めて、「これは一人でいるときにはいいものだ」と言っていた。

アフリカの友だち

ジョフリーの友だちのスティーブンを、あるとき紹介してもらった。

十九歳の彼は、背が高くてたくましい農夫だった。

彼は貧乏をしていて無口だったが、あるとき、手に豆をにぎって、それを口に入れてなくすという手品をしてくれた。恥ずかしそうにする素朴な彼とあまり言葉は交わさなかったが、友だちになり、たばこを一本あげた。

彼は半分吸って、半分を消してポケットに入れた。「帰ってから吸うんだ」と言っていた。

その夜、僕は自分のたばこがないのに気が付いた。ジョフリーの弟アルビンに言ったら、スティーブンが取ったんだと言い、「あいつならやりかねない」彼はそう言った。

ジョフリーは、「そんなはずはない」と言い、何回も僕に「どこに忘れた?」と聞きながら、必死になって探した。友を信じるために。でもどこにもなかった。

僕は半分疑がって、くそう、くやしい、と諦めかけたときに、さっき着変えたズボンのポケットを思い出した。

「あった！」

ジョフリーはホッとして、「よかった」と僕と握手をした。

「よかった」ため息まじりに何回もくりかえした。

僕は疑った自分が恥ずかしくなった。スティーブンは思った通りいい奴だったんだ。

友を信じたいという気持ちは、どこでも一緒だった。

あるとき、山の道を散歩していると、スティーブンの弟が僕の名前を呼んだ。

まだ一度も会ったことのない彼が、僕の名前を呼んだのは、名前を覚えてしまうほどスティーブンが僕の話をしたからだろう。僕は胸の中がジーンと温かくなるのを感じた。


ケリチョの村、キップケリオンには、歌はあったが、めざす太鼓はなかった。

写真家の真美さんはもう少し滞在するというので、そこでさよならした。

たった二週間の旅だったのに、二カ月ぐらいに感じた。

太鼓にはどこに行ったら出会うのだろう。

テレビで見たザウォセさんは、ケニアではなくタンザニアの人だった。

村の人々に別れを告げ、満員のバスの屋根の上に荷物のように乗っかって、風に吹かれながら、ナイロビにまた戻ってきた。

ナイロビでまた同じイクバルホテルに泊まると、イギリス人のアレックスにまた会った。一泊だけ立ち寄ったのだと言う。

古い友だちに会ったようで、なんだかホッとした。

「太鼓は見つけたかい？」

彼はやさしい大きく見開いた目で、ゆっくりそう言った。

太鼓は見つからなかったけど、ケニアの田舎で、貧しくても幸せな、そして自由な人たちに会ったことを話した。

つたない英語で、自然と一体の暮らし、水汲みをしたり、川で水浴びをしたり、薪を拾ったり、畑の手伝いをしたり、それはタフで、不便だけど、人間が、人らしく生きる、おおらかなアフリカを垣間見ることができたことを伝えようとした。

アレックスは黙ってきいて、

「それは、きみの宝だ」といった。

太鼓を探しに、以前に聞いていたタンザニアのバガモヨ芸術大学に行ってみようと思った。

第三章　ケニアの街

エチオピアの男

泊まっていたイクバルホテルには、一階に食堂がある。

いろいろな国の人たち、ラスタマンや白人のバックパッカーのたまり場になっていて、たばこの煙の中で、ビールを飲んだり焼き肉を食べたり、とても賑やかだった。

一人テーブルに座った男が、僕に手を差し出してきた。エチオピアから難民として逃げてきたと言う。たどたどしい英語で友だちのように話しかけてくるが、そのうちに、

「エチオピアに帰る金がない。貸してくれないか？」

と切り出した。「アフリカでは絶対信用しちゃいけない」と言われたのを思い出した。

でも、本当に困っているのではなかろうか。初対面の人に金を貸してと言われたことなどなかったので、どうしようかと悩んでしまった。

「こいつはあやしい」僕は心の中でそう思う反面、人を信じられないのは寂しいことだとも思い、気楽な旅行のはずが、なぜかまったく違う方向に向かってしまいそうな不安感に襲われた。

それから一日、彼のいう「エチオピアに帰ったら返す」という言葉を信じて金を貸すべきか迷っていた。

翌日の朝、エチオピアの男がまた近づいてきた。金の返事しなければと緊張していると、

「お前と同じ日本人がいる」

と違う席に僕をつれていった。

大阪からきた気さくなタケシさんという人と、関東出身という寡黙な田中さんという人だった。タケシさんがエチオピア人を、

「友だち?」と訊くので
「金を貸してくれといわれている」と言うと、

「絶対やめた方がいい!」と二人が声をそろえて言った。

その気配でエチオピア人はすごすごと離れていった。ホッとしたのと申し訳ない気持ちと

が交錯した。

ともかく二人と話してみると、関東から来た田中さんは踊りを習いにタンザニアの学校に向かうという。これは僕が行こうとしている学校と同じだった。まるで引き寄せられるかのように、自分と関係のある人に出会う、これもアフリカならではだろう。

二人から、ゲットーに行ってみないかと誘われた。

ゲットーというのはスラム街（貧民街）のことで、そこのミュージシャンが一緒にセッションしようと言ってきたと言う。

そんな危ないところに行って大丈夫なのか？　不良に絡まれたりしないのだろうか？

怖さ半分、何ごとも経験という思いが半分。

男三人なら大丈夫だと思って行ってみることにした。

ボンゴを片手に、スラムの狭い小屋に入ると、ラスタヘアーをした男たちが、ミラというハイになる草を噛みながらチューインガムを噛んでいた。

たたみ四畳くらいの小さな小屋に、アフリカ人六人、日本人三人がひしめき合って座った。

最後に一番長いラスタヘアーの男が入ってきて、手をグーにして拳をぶつけ合うラスタ流の挨拶をしてきた。

「ヤーマン」サングラスをかけた彼は、一目で大物だと思わせる風格がある。

ポケットから金を出して、仲間に僕たちのジュースを買ってくるように指図した。

なんだかとても格好いい。

ボロボロのギターを手に持って、ぽろんぽろんと爪弾きだした。

音一つひとつが生きている気がした。無名らしいが、やたら渋いミュージシャンだ。

しゃがれ声で自作の歌やボブ・マーリーの歌を歌い、僕は一生懸命ボンゴを叩いた。

僕たちにも、何か歌えと言う。

偶然三人とも好きだったブルーハーツの「チェインギャング」を、熱を込めて歌った。

彼らはすごくいいと言ってくれた。

「言葉は違っても通じる、これは音楽のエクスチェンジだ！」

と、ラスタマンも感心し、

「狭くて、暑くて、金もねえが、ここは楽しいぜ」

と言った。

「またくるよ」僕たちは引き上げた。

見かけは怖そうだったけど、心やさしい人たちだった。

小さなゲットーの部屋にも、あの田舎の子どもたちが歌っていたときと同じ風が吹いた気がした。

ボットン便所事件

タンザニアに向かう途中の国境ナマンガでバスを降りると、急にトイレに行きたくなり近くの店のトイレに駆け込んだ。

オーバーオールを脱ごうとしたとたん胸のポケットに入れていたパスポートとトレベラーズチェックが、「あっ！」ボットン便所の中に落ちていった。

ボットンの上にパスポートが浮いているのが見える。とっさに手を突っこんだがまったく届かない。「どうしよう」今の自分にとってこれ以上大事な物はあるだろうか？

一瞬立ち止まって、周りの人もきっといい人たちだから、助けてくれるだろうと、まずその店の人にトイレを見てもらった。

店の人も、苦笑しながら「うーんどうしようか」と考えているうちに、「どうした、どうした」とすごい人だかりになった。アフリカ人は親身になって面倒を見てくれるはずだ。ところが、

「取ったらいくらくれる？」と言う。

「え？　お金？」

一〇〇シリング、二〇〇シリング、と集まった人たちは声を張り上げる。ついに、

四〇〇〇シリングにまでなってしまった。

日本円に換算すれば三万余円、内心「ふざけるな！」と思いつつ仕方なく彼らにまかせることにした。

「大変だね。カバンを持ってあげよう」という親切な人にカバンを預け、トイレの成り行きを見る。彼らも僕のやったことと大して変わりがなく、手をのばしても届かないので、棒でひっかけようとして結局かき回しているだけだった。ふと振り返ると、僕のカバンに手を突っ込んでゴソゴソやっている。

「コラッ！」とあわててうばい返したが、男は「チッ」と舌打ちして悪びれた様子もなく去っていった。まったく油断もスキもあったものではない。

トイレの方は大丈夫かと中を見ると、パスポートとトラベラーズチェックは見事にトイレの底に沈んで跡形もなくなっていた。

「オイ！　ちょっと待てよ！」

文句を言おうとしたときには、ササッとどこかにいなくなってしまった。逃げ足だけはやたら早い。

大事なものをなくしてしまった。周りの人たちは、ただ笑いながら僕のことを眺めている。なんてドジなんだ。その場で泣き叫びたい気持だった。

僕は呆然としながらボットン便所事件の現場から離れた。

半泣き状態で、日本大使館に電話をしていると、一人後からついてきた男が話かけてきた。

「どうしたんだ？」

と言う。ンゴゲという男だった。まだこんなふうにやさしく話しかけてくれる人もいるじゃないか。

I am just a Japanese boy

パスポートの再発行を頼みにナイロビへもどり、日本大使館へ行った。

大使館の建物の中には、秩序立った日本の空気が流れていて、大使館の人も、日本では、そんなに話したいと思う人ではなかったけど、とてもやさしく、なるべく長く話していたいと思った。トラベラーズチェックの再発行も銀行に連絡してくれた。久しぶりに会う日本人に心が安らいだ。

宿に帰ると、夜中に寒気で体がガクガク震えだし、目が覚めた。風邪を引いたのだろうか。朝になっても回復せず、すっかり調子を崩し、周りの人と接するのも、ただの苦痛でしかなかった。

アフリカに来てまだ一カ月なのに、たまらなく家へ帰りたかった。一人安宿のドミトリーの部屋で寝込んでいるのは、本当に心細い。

隣のベッドに寝ていたＤＪのラスタマンが心配して、オレンジジュースを買ってきてくれたり、毛布を持ってきてくれたりしたのが身にしみた。彼は自分のお母さんが危篤だと言っていた。彼も大変なときなのに申し訳なく思った。

そんなとき、突然父からイクバルホテルに電話があった。家には一切連絡していなかったのに、どうやってわかったのだろう？

「大丈夫なのか？」

「すこし風邪を引いてしまった」

精いっぱい大丈夫なふりをして答えた。

同じ家に住んでいながら父とはめったに話をしていなかったが、地球の裏側まで離れていると、父の声が一人の友人のように聞こえた。電話に出ながら、久しぶりに笑顔がこぼれた。緊張がとけ、なんとなく安心したのか、電話の後ぐっすり眠った。

しばらくすると、カオリさんという女性が訪ねてきた。父に頼まれたという。

「だめよ！　こんなところにいちゃぁ‼」

カオリさんは開口一番そういった。

このホテルはナイロビでも最低のゲストハウスで、しかも一階の食堂は、有名な売春婦のたまり場、特にガラの悪い人たちが集まっているので有名だという。

「なんでこんな所が日本のガイドブックに載っているの？」

カオリさんは、元旅行関係の出版社に勤めていたからよけい腹を立てたのだろう。

「日本の若者がこんなところでうろついてたら狙われるわ。うちに来なさい」

今は、ナイロビの旅行会社に勤めているという。アフリカに女一人でいるのに、身なりも感じもきちんとしていて。僕にはとても力強く見えた。

このときカオリさんが来てくれなかったら、僕はどうなっていたのだろう。

カオリさんの家は、ナイロビの高級住宅地にあった。門をあけてガードマンに挨拶をして中に入る。アフリカ人の中でも金持ちしか住めない所だ。

僕の格好は、ここでは場違いなほど汚かったから、すぐにフロに入れてくれた。

きれいな浴槽にひたり、体中の汚れを落とすと、ようやく自分が一人の人間であるという誇りを取り戻せたような気がした。外見ばかりで中身のない人になりたくないと思っていたけど、清潔にしていることも人の尊厳を保つ大事な要素の一つなのだと気づかされた。

カオリさんが作ってくれた日本食を久しぶりに食べた。死ぬほどおいしかった。

熱も治まり、体の震えもなくなって、僕は、あまりにもあっけなく快適な住宅地で安らい

でいる自分に多少の不甲斐なさを感じた。そんな気配を察知したのか、

「元気になった？」

とカオリさんは笑った。

何日かカオリさんちにお世話になっている間に、再発行のパスポートが取れ、トラベラーズチェックも手に入って、ようやくバガモヨに向かうことになった。

国境ナマンガからアルーシャ

ボットン便所事件の国境の町ナマンガに戻ってみると、あのとき、うちひしがれていた僕に話しかけてきたンゴゲという男がお土産物の店をやってることがわかった。いろいろなお土産を買って日本に送ろうとすると、ンゴゲは、代わりに送ってくれると言うので、まかせることにした。

ナマンガからバガモヨに向かう途中のアルーシャまで、僕について行きたいという。ンゴゲは僕より一つ年下で、結婚して子どももいた。友だちも多く、僕の言うことはなんでも聞いてくれる「いいやつ」だった。

ある日、彼の家の夕食に招かれた。

真っ暗の部屋の中でローソク一本。スープとパン。

なんにもしゃべらない嫁、泣いている子ども。誰も笑わなかった、誰もしゃべらなかった。

なんだろう。これ以上悲しい家庭の風景があるだろうか？

僕はいたたまれなかった。

ケニアのエミリーの笑いに満ちた家庭を思った。

ンゴゲは、たばこを手にしたまま冷たい視線で遠くを見つめている。

彼が何を考えているのか僕にはよくわからなかった。

翌日、ンゴゲとぎゅうぎゅう詰めの車に乗って、タンザニアの町アルーシャに向かった。

隣に太った若い女性が座っていた。

腕が圧迫されるほど窮屈なので、左手を彼女の後ろに回して乗せた。

彼女はこっちをちらっと見たが、何も喋らずそのまま座っていた。

僕はなんだか少し恥ずかしい気分にもなったが、平然を装った。

結局アルーシャまで三時間そのままの体勢だった、僕と彼女の間に妙な安心感があった。

アルーシャに着き、何かこそばゆい思いで車を降りた。

リュックを背負いながら車の方を見ると、彼女も僕の方を見ていた。

思わず手をあげ、「さよなら」と言った。

そしたら、彼女もにっこり微笑んでくれて、なんだか胸があったかくなった。

マサイ

アルーシャにはマサイの人たちがたくさんいる。

観光客は、みんなマサイの人たちと一緒に写真を撮る。

日光江戸村の和服を着た役者さんのように、一枚撮るたびに、二〇〇シルを要求するのがあたり前になっている。テレビのコマーシャルで、高くジャンプしてみせるマサイ。

僕もマサイにあこがれを抱く観光客の一人だった。

ンゴゲがマサイとのハーフだったので、マサイの家に行ってみたいという僕の希望を伝えると、彼の友だちの母親と妹の住んでいる、ウシの糞でできた家（小屋）を紹介してくれた。

僕はその家で一晩だけ泊まらせてもらうことになった。

あこがれのマサイの家、ぎりぎり人が通れるかという入口から入り、カタツムリの貝殻のような渦の通路を入ったところに、石が三つ置いてあるだけのかまどがあって、そこが煮炊きをするところだ。

中は真っ暗で、狭いが、焚き火で黒く燻された壁の臭いとヨーグルトの発酵した臭いが部

マサイの家

屋に染みついていて、なんだか懐かしいような妙な安堵感があった。

僕は、生まれてから四角い部屋でしか寝たことがないので、人間の子宮のように丸い部屋の落ち着きを知ってみたかったのだ。

思った通り、地球の内部に入りこんだような感覚になった。

家に入って感動に浸っていると、さっきから僕に腕輪を売ろうとしていた近所のおばさんが入ってきた。そしてこの腕輪を買ってくれと、僕に迫ってきた。僕はマサイの家にいるという時間をジャマされたくないので、その腕輪を買うことにした。

するとそのおばさんは、これも買え、あれも買え、と狂ったかのようにせがんできた。僕は、「これ以上言ったら……」と言いたいのをこらえて、そのおばさんをあからさまに無視したので、そのおばさんは出ていった。

やっと出ていったと思ったら、今度はその家の人たちが、自分たちにお礼のお金が欲しいと言い出した。

うーん、これはしょうがない、と思って財布を見ると、二〇〇シル一枚しかない。

二人いたので、一〇〇シルが二つあればよかったのだが、ないので二人で分けてくれと、二〇〇シル紙幣一枚を母親の方に渡したら、今度は母親と娘とでけんかがはじまった。

二〇〇シル札がやぶけるかと思うくらいの引っ張り合いだ。

「マサイ、これがマサイ?」

僕は完全に白けてしまった。そもそも人の家に上がりこもうっていうのが間違いだった。

かたくなに自分たちの文化を守って、ライオンのような魂を持ったマサイはそこにはいなかった。

現代で、古代人のような暮らしをしている人たちを、夢のような存在に感じる。

世界中の人が、それを珍しいものとして、面白がって見に来る。

マサイの人たちにとっては、それがなんのことだかわからなかっただろう。

自国に帰って、「マサイに会った」と自慢するためだけに会いに来るのだ。

そのうちに、マサイの中に、お金が入り込んでいったのだ。

マサイの家の中

ウシを神様だと信じて生きてきたマサイ、今ではお金を信じて生きているのかも知れない。

夕方六時頃には寝る時間になった。電気もない家では、夜暗くなれば、ただ眠る。

あたり前のことのようだが、とても自然で新鮮だった。

お金のショックでなかなか寝付けなかった。

ウシの皮を土の上に敷いただけの布団で、ほんの小さな穴が空いただけの窓から差し込む月明かりの中、マサイの赤ん坊と一緒に寝かされた。

本当にピュアな寝顔で、なんの不信感も抱かず、赤ん坊はすやすや眠っている。僕はそんな寝顔を見ていると神聖な気持ちになるとともに、こんな近くにいていいのか、自分自身に疑問を感じた。

昼間マサイのおばさんは僕に言った。「あなたは私の子の歳と変わらない、だから私の息子だよ。そんなに緊張しないで、もっと楽にしていていいんだよ。ここをあんたの家だと思って、私をあなたの母親だと思っていいんだよ」

そんなやさしいマサイの人の言葉も、自分の中で矛盾となって飛び交っていた。

次の日の朝、マサイの少年たちと一緒にマサイの村から歩いて帰った。

二人の子どものうち一人が急に歌を歌い出し、そして例のマサイダンスがはじまった。

高く飛び上がっては、地面ぎりぎりまで沈み、何かを念仏のように唱えながら踊っていた。

しゃがみ込んで止まったかと思うと、犬のように身ぶるいをおこした。

その姿はまるで地球と会話をしているようだった、
しばらく止まると、また歩きはじめ、かと思うと、また立ち止まって祈りをくり返した。

その都度足を止めて、自分たちの波動を整えているのだろうかと思った。

それは、遠い昔から伝わる生きるための知恵なのだろう。

ふと、マサイの少年たちのブレスレットに目がとまり、

「それを売ってくれない？」

言ってしまった。自分の矛盾にハッとした。

「いいよ」

彼は手作りのブレスレットを外して、僕に渡した。

そのとき細かいお金を持ってなかったので、

「お金は後で払うよ」

と言うと、さっきまでの屈託のない笑顔とは打って変わって、どんな商売人よりも十倍険しい顔で「お金、お金」とせがんできた。今ここで払わないことが理解できないらしく、顔が晴れないまま僕を見ていた。ようやっと小さな店にたどりついて、お金を両替して渡すと、早速ジュースを買って、ゴクゴクと飲んでしまった。

なんだろう。お金なんかなかった時代には星空の下で焚き火をしながらウシだけを財産に地球に養ってもらっていたマサイのはず。お金が、すべてを変えてしまう。僕自身が、お金にどっぷり浸かって生きてきたことが彼らと出会ったことで浮き彫りになった。

マサイも僕も同じ人間だった。

スタンドバイミー

マサイの村からアルーシャの街へ行った。ンゴゲが、マサイとキクユの合いの子である自分の血統は頭がいいんだと自慢していた。

彼がたばこをふかしながら、冷たい視線で遠くを見つめていた。
僕はまた、彼との間には埋めることのできない深い溝がある気がした。
ンゴゲの友だちが来て僕に紹介してくれた。
「ンゴゲ、キミは黒人が昔からやっている仕事をしているんだな」
友人の言葉が気になった。黒人が昔からしている仕事？
たしかにンゴゲは僕に必要なことをなんでもしてくれた。
僕は、彼が親切なやつだからしてくれたのだと思っていた。
それに一人旅だと付き添ってくれる人がいるともちろんありがたい。
そう、ありがたい友人だと思っていた。
でも、どうやら彼はそれを仕事としているらしかった。
何を言っても「イエス」と答えてくれる仕事、「イエスマン」。
そんな彼を僕はただの「いいやつ」だと思っていたのだ。
そしてそれは黒人が昔からしている仕事だった。
僕が去ったらまた、新しい旅人がやってくる。
僕のような浮かれた観光客がそれを「出会い」と思い、しばらく一緒にすごす。
その間の費用は観光客が出す。

彼にとっても僕は都合の「いいやつ」にすぎなかったわけだ。

だけどせめて、彼の店で買ったおみやげ物くらいは日本に届いてほしいと願ったが、大枚をはたいて買ったみやげ物は、いつまで待っても届くことはなかった。

頑固なマサイ

マサイの彼らにも、ンゴゲにも別れを告げ、アルーシャからバスで、ダルエスサラームへ向かった。

バスで走る真っ直ぐな道のはるか向こうにポツリと人が見えた。

みるみる近づいていくと、道のど真ん中をこちらに歩いてくるのはマサイだった。

このままバスが直進すればひいてしまう。

「ここはオレの道だ。おまえがどけ！」

まだ相当遠くにいるのに、マサイの迫力のあるオーラがそう言っているように感じた。

バスの運転手はひるんだのか、思わずスピードを落とし、
ゆっくりとマサイの脇を通り抜けた。

マサイはバスを軽くながめて、

また真っ直ぐ前を向き、
スタスタ歩きはじめた。
廻りは何十キロ四方人家もない。
彼は、徒歩でどれだけの距離を移動しているのだろう？
まるで野生動物に出会ったときのような、
頑固なマサイ。
やはりいるところにはいるものだ。

第四章　タンザニアン・ダンス

ここはアフリカ、タンザニア

タンザニア一番の都市ダルエスサラームまで来た。

ナイロビと同じく、車がたくさん走っているダルエスは、日本で言うとどことなく田舎っぽい地方都市といった感じだった。

とりあえずたくさん持っているケニアシリングをタンザニアシリングにここでも替えようと、街に出た。街の中は雑然としていて、少し怖いと感じた。

道ばたには、やはり何もしないで突っ立っている人がたくさんいる。

不意に「エクスチェンジ？（お金を替えないか）」と声をかけられた。ヤミ両替屋だ。

彼はアリと名乗った、サングラスをしていて白いイスラムの服を着ていた。

「少しなら替えてもいい」

と答えると、お金は自分の部屋にあるからとアパートまでつれていかれた。

彼の弟が部屋にいて、一緒に写っている写真を見せる。

「こんな兄弟がいるのだから、俺を信用してくれ、俺は大丈夫な人間だ」

サングラスをしたまま話した。

試しに一〇〇〇ケニアシル（約八〇〇〇円）だけ変えようと渡した。返ってきたタンザニアシルを数えてみると、ちゃんとしたレートになっていた。「手数料をよこせ」と言ってきたので、二〇〇タンザニアシル（約七二円）渡し、そのまま帰ろうとすると、「ケニアシルをいくら持ってる?」と聞いてくる。

まだケニアシルがあると知ると、「ちょっとついてこい」と、僕を引きずり回しはじめた。

僕はまた、言われるままについて回った。

事務所のようなところに連れていかれ、そこに事務をしている社員のような男が一人いた。

彼は握手をしてきて、いろいろ日本の話を聞いてきた。やっぱりこういうのが普通の人間の関係なんだよなと思ったら、急にそばにいるアリが信じられなくなってきた。

アリは相変わらず、サングラスをかけたまま、金の話ばかりしている。

どこに連れて行かれるかわからないまま、僕はそれでもまだ彼の後をついていった。彼の家の階段の途中で女が声をかけてきた、彼の恋人の一人みたいだった。彼女は派手で太っていて、髪には赤茶色の付け毛がしてあった。

アリは、明らかに遊びで付き合っているだけの様子で、今夜家に来いとか、彼女の手を握りしめながら、「お前だけだよ」というようなことを連発していた。

女の方もそうされることがまんざらでもなく、いつまでも笑っていた。そして最後に金を貸してくれと言って、女から五〇〇シリング（約一七八円）借りた。

女は「後でね」と言って行ってしまった。

アリは僕にそのお金を見せて「簡単だよ」と言って笑った。

僕にはなぜかそんなヤクザみたいな行為が、この世を遊ぶ一つのゲームのように思えた。

そのあと、さらに両替したタンザニアシルを受け取ったが、結局彼に一〇〇〇シリング（三六〇円）を抜き取られていた。

悪いことは重なるものだ。その夜、小さなゲストハウスに一人で泊まると、真夜中に相部屋を頼まれ一人男が入ってきた。すっかり疲れていたのでそのまま寝入ってしまった。やがて足下でごそごそ音がする。「はてな?」と思って目を覚ますと、アラブ系の男が僕のベッドに座り、バッグをいじっていた。とっさに「なんだよ!」と日本語で言うと、男は「モスキート、モスキート（蚊がいたんだよ）」と言ってごまかしていた。

「はやく寝ろよ！」と脅すように言って、財布を抱えて布団に入ったが、それからは、男の動向に聞き耳を立てて夜中じゅう気が抜けず、結局一睡もできないまま朝がきた。

今まであまり、人を疑ったことがなかった僕は、一人で旅をすることの危険にようやく気づきはじめた、そんなダルエスだった。

バガモヨ

バスに乗って、ケニアから国境を越えてみると、タンザニアはずいぶんのんびりした国の感じがする。そうか、ケニアは資本主義国、タンザニアは社会主義の国だったのだ。

ダルエスサラームから二時間ほど蛇行して走るとバガモヨである。蛇行というのは、アスファルトのところどころに穴があいているから、バスがそれを避けながらということだ。

「よくこんなところ走るな～」そう思いながら、大きな市場や、トタン屋根の家を通り過ぎると、やがて、ひたすらだだっ広いサバンナに家がポツリポツリ。どこにでも木陰で休んでいる老人、車輪を追いかけまわしている子ども、水や薪を頭にのせて運んでいる人が歩いていて、典型的なアフリカの田舎の景色になる。

バガモヨの海岸

タンザニアの田舎の人たちは、なんだかみんな楽しそうに農作業をしているように見えた。

ふと、アフリカに来る前に、造園屋でアルバイトしていたとき、仕事をしながらとても楽しそうにしていた人がいたのを思い出した。

僕は、アフリカに来るためにアルバイトしていたので、たぶんしかめっ面で仕事をしていたと思うが、そんな自分がばからしく思えるくらい、彼は満ち足りた顔をして造園仕事をしていた。

どんな状況にいても、楽しいことや、幸せのかけらを見つけられる人は、何もアフリカまでこなくても十分幸せになれるものなのだろう。

しばらくすると、「悪魔が逆さに植えた」というアフリカ独特のバオバブの木が至る所に生えている海岸の景色が広がって、そこがバガモヨだった。

バガモヨで一番いいと言われる安いゲストハウス（六

畳くらいの部屋が十部屋くらいある小さな宿）に部屋を借りたら、隣りが田中さんの部屋だった。

やはり日本人がいてくれると安心する。

タンザニアはケニアと違って、スワヒリ語しか通じない。

このとき「ジャンボ（こんにちは）」しか話せなかった僕は、宿の従業員に声をかけて、スワヒリ語を習うことにした。

バガモヨの人は、みんな話しやすく、向こうもすぐ乗って来る。

そう、彼らには時間があるのだ。誰も彼の時間を奪おうとはしないし、自分で自分の時間を過ごすということはあたり前なことなのだ。従業員も床をふいているより、ちょっとさぼって日本人と話している方が楽しかったのかもしれない。

最初にスワヒリ語を教えてもらった彼とは、バガモヨを離れる日まで、通りかかると挨拶する仲になった。

ハラカ・ヒロコ

バガモヨは、海岸沿いの町で、芸術大学があり、ダンスや太鼓を習いに、海外から来る学生も多い。

田中さんと僕は、バガモヨをあちこち歩き回ってみることにした、すぐに、日本の女の人が歩いているのを見た。

えらく胸を張り、肩で風を切って歩いている。僕たちに見むきもせず通り過ぎて行った。

僕はすぐ彼女が伊藤宏子さんだとわかった。テレビで見たことがあったからだ。

アフリカで、なぜあんなにもつっぱっていなければならないのだろう？

どうやら僕の見ているアフリカとは違うアフリカを見ているらしかった。

田中さんと僕は、海に行って、泳いだり、ボーっと昼寝をして過ごした。

その後、改めて伊藤宏子さんの家を村人に聞きながら探し当て、訪ねてみた。

タンザニアに二年もいるというのに、まったく東京のペースで生きている人がそこにいた。

僕はもっと変な人を想像していたが、思った以上に普通の人なのでびっくりした。

でも内にアフリカ時間が流れているような気がした。

「ハラカ（早い）ヒロコ」

と現地の人にも言われるほど、話し口調も、歩き方も、考えることも早い。

そのペースについていくのがやっとだった。僕は、アフリカですら東京のペースをくずさない彼女を少し不思議に感じた。

夕焼け

日暮れ時に市場に行ってご飯を食べた。海が近いので、魚のフライがたくさんおいてあった。その魚とごはんで、腹一杯食った。ほかに、ピラウ（ピラフ）、ワリナマハラゲ（金時豆を塩で煮たものをご飯にかける）、鶏肉か牛肉か魚のスープなどがあり、それを、主食のウガリ（トウモロコシ粉のおもち）に浸して食べる。お米もあるのだが、主流はウガリだ。

スープの中にバナナが入っていることがある。最初驚いたが、このバナナはフルーツ用甘い物ではなく、お芋のような味で美味しかった。

食堂の親父もおもしろい人で、僕らに冗談を言ったりしていた。市場といっても吹きっさら

バガモヨの市場

しの大きな倉庫（スワヒリ語で「ソコニ」）に、村人たちが野菜や魚を並べてるマーケットだ。机やイスを並べただけの食堂もアフリカっぽさを出していた。夜になるにつれてだんだん賑やかになってくる。周りにも飯を食べているおやじたちが肩を並べている。野菜を売っているおばさんは、ボーっとひたすらお客さんを待っていたり、隣の人と喋ったり。

真っ暗な市場にケロシンのランプがたくさんついていて、夕焼け空の赤とマッチしていた。市場のまわりには何をするわけでもない人々が、ガヤガヤといつ終わるともなしに話している。みんなニコニコしていて周りじゅうに楽しい気がみちていた。僕は、ここが故郷だとでも言いたいような、そんな愛おしい気持ちになった。

そこに座ってゆっくり飯を食っている、僕はその場で死んでもいいとすら感じた。

田中さんとホテルの入口の外にあるバーでビールを飲んでいた。

リンガラポップが大きい音で流れていた。

こういうところで出るアフリカの料理は、フライドポテト、フライドチキン、マンダジ（アフリカのドーナッツ）。おつまみみたいに手で食べる。

台所でちょっとつまんだ料理が美味しく感じるみたいに、ちょうどそんな感じで美味しい。

となりで飲んでいた家族連れが話しかけてきた。その席に呼ばれ、仲間に入れてもらった。

スワヒリ語をいくつか教えてもらったり、気軽に話しかけてくれたのがなんとなくうれしかった。そんなちょっとした出会いも、なんだか夢のようで。

彼らは、本当に自由だなあと思う。

「カマ　ムング　アキペンダ」

彼らと別れるとき、そんな風に挨拶してきた。

ホテルの人に聞いてみると、それは「もし神様が望んだらまた会おう」という意味だった。

この、のうてんきな考え方が、彼らののんびりを守っているような気がする。

フクウェ・ザウォセさん

宏子さんに紹介してもらい、次の日バガモヨ芸術大学に行った。

初めてバガモヨプレーヤーズ（バガモヨ芸術大学の先生たちがやっているドラム＆ダンスグループ）の練習を見たときは、ほんとうにびっくりした。

太鼓も、思っていた以上のすごい迫力だったし、踊りもカッコよかった。

しかし、それよりもっと感動したのは、その後の話し合いだった。

踊りの一つのパートを決めるのに、みんな真剣そのもので話し合っていた。だれの言うことにも真剣に耳をかたむけ、自分の言うことも真剣に熱をこめて話していた。団長は見ているだけで、とくにまとめようとするわけでもなく、同じ立場で意見を言っている。一時間を越えるくらい長く話し合っていた。

僕は、これまでこんなにギリギリのところで話し合っている人たちを見たことがなかった。日本では、たいてい目上の人の意見に合わせたり、時間が来たのでとか、「笑ってごまかす」場面ばかり見てきた。でもここでは、時間の制約が何もないからか、一人ひとりがホンネで向き合っていつまでも話している。本物をどこまでも追求している。

言葉は全然わからないが、その真剣さだけは伝わってきた。

その団長が、フクウェ・ザウォセさんだった。テレビで見て、アフリカに来る動機となった人に、こんな形で会えるとは。

世界的に有名なフクウェ・ザウォセさんは、いる

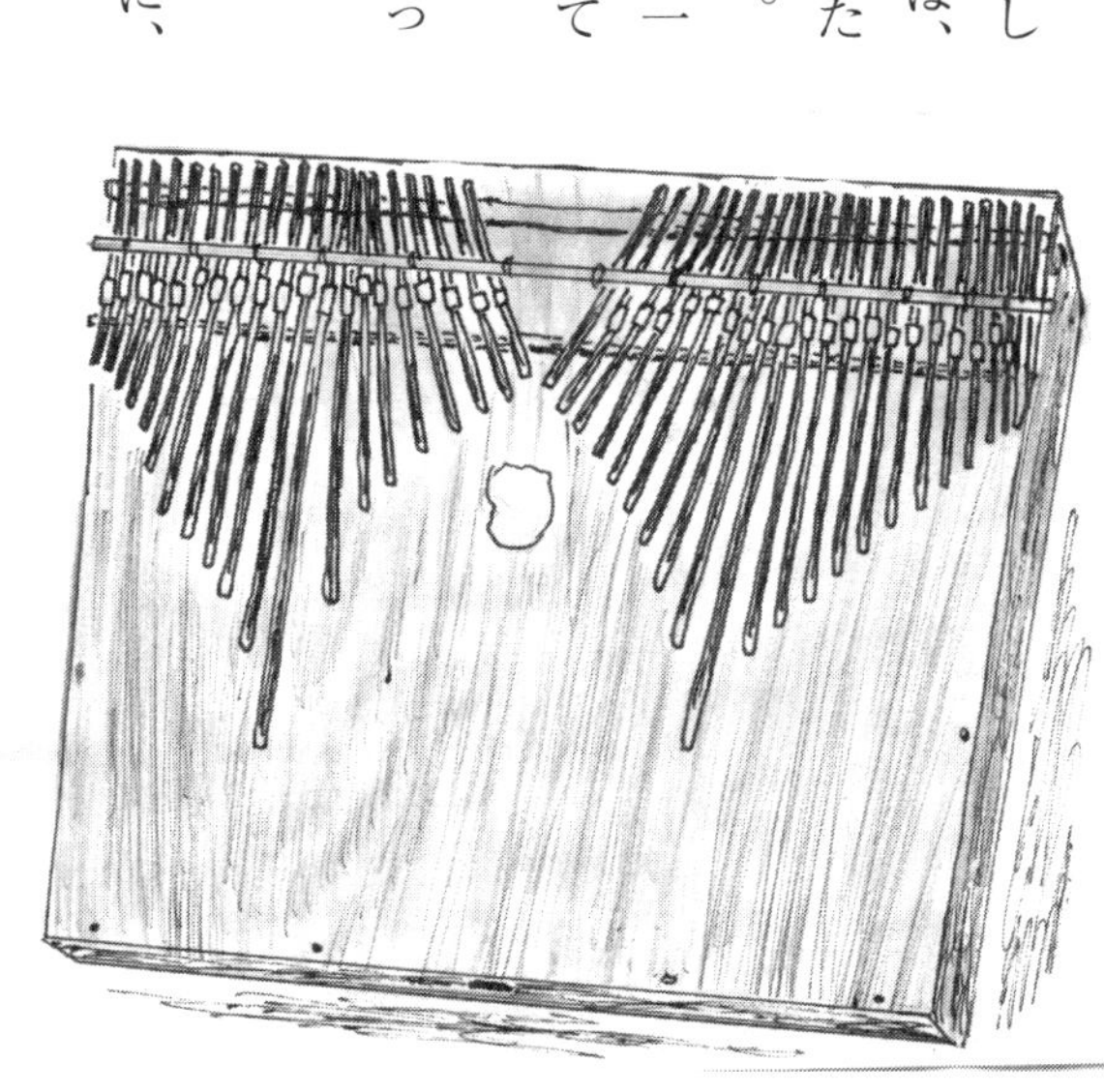

イリンバ

だけで迫力に満ちた人だった。

そのあと、宏子さんにザウォセさんの家に連れて行ってもらった。会ってすぐ、彼は大きな親指ピアノ（イリンバ）を演奏してくれた。体全体というか、全身全霊で歌っている声の迫力ときたらすごいものがあった。とても同じ人間だとは思えなかった。

そのとき、僕はボンゴを持っていたので、少し叩いてみせろ、と言われた。天下のザウォセさんの前で、「そんな命知らずな」と思ったが、勇気を振り絞って、自己流で一生懸命叩いた。

ザウォセさんは、

「ムズーリ　ラキニ　バドキドゴ（良いけど、もう少しだね）」

と言ってくれた。二番目の奥さんは（そのときは三人いた）喜んでくれた。

僕はただ、バガモヨプレーヤーズの見せてくれた太鼓を早く叩けるようになりたかっただけなのだが、宏子さんが正規の留学生になると学生ビザを取れるので何かと便利だと言って、バガモヨ芸術大学の校長のところに何回か通い、あっという間に手続きをしてくれた。おかげで正規の外国人ダンス&ドラムコースの留学生になれた。やはり「ハラカ・ヒロコ」と言われるだけあって、なんでもすることが早い人がそばいるのはありがたい。

アフリカン・ダンス

太鼓の先生が、

「太鼓を叩きたいのなら、まずは踊りをやりなさい」

と言うので、田中さんと一緒に踊りを習いはじめた。

「太鼓と踊りは同じ。いい踊り手は、いい太鼓叩きになれる」

と先生の言うとおり、たしかにアフリカの踊りは太鼓なしには成り立たない。

太鼓も踊りがないと楽しさが半減してしまう。

それから数カ月、僕らは踊りにだけ専念することになった。

ルイーザという二十八くらいのお姉さんが僕らの先生だった。

体は大きいがとてもチャーミングな人で、最初に会ったときから、好きになった。

何もわからない僕らに基礎からやさしく教えてくれ、僕らは踊れるようになっていった。

毎朝、安宿で目覚める。

歩いて学校がある海の方へ向かう。

路上でチャイとチャパティーやマンダジ（揚げパン）が売られてる。

小さなベンチでこれから働きに行く人たちと肩を寄せ合いながらチャイをする。

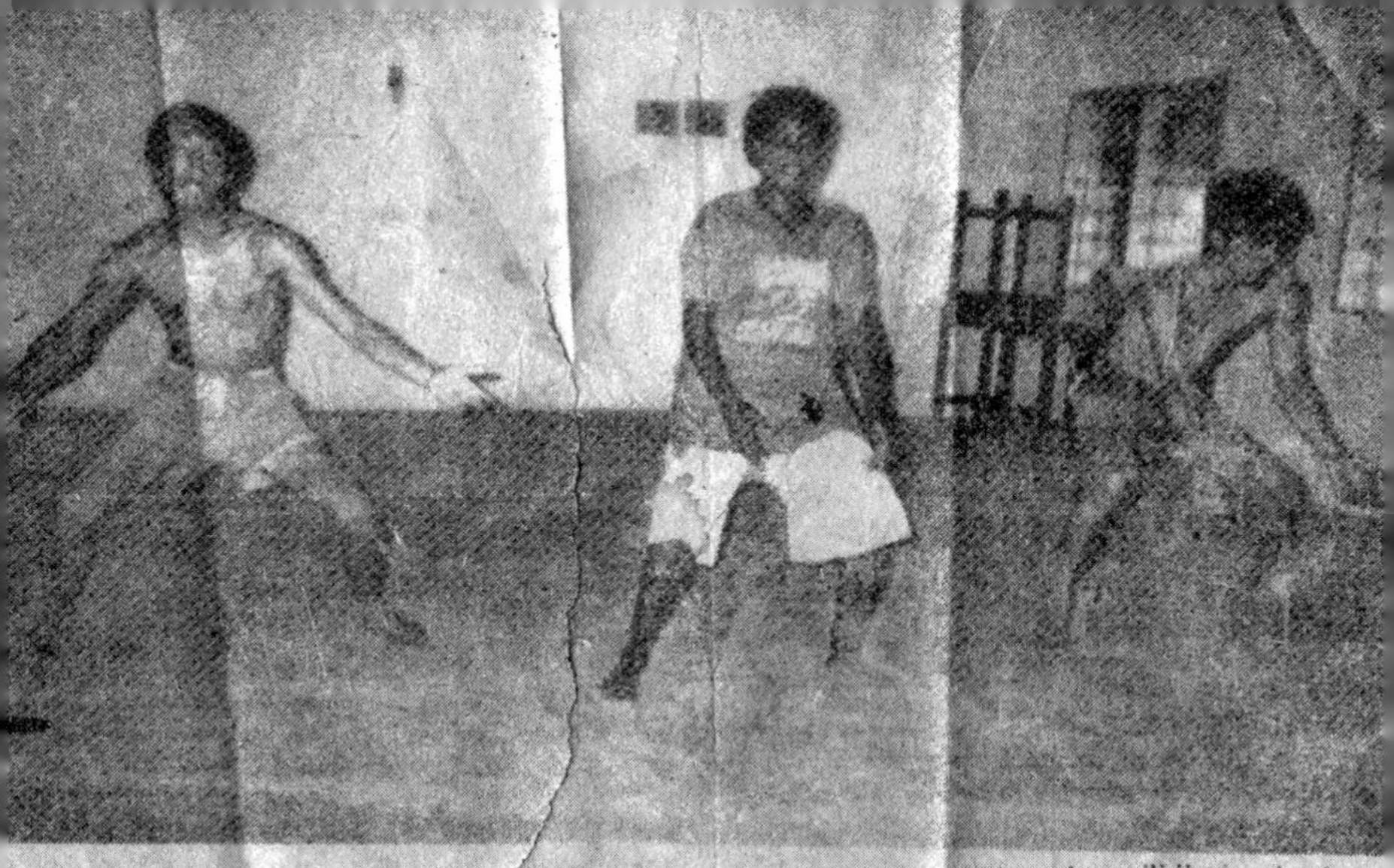

MWALIMU wa Chuo cha Sanaa cha Bagamoyo (katikati) akiwafundisha Wajapani wawili jinsi ya kucheza ngoma ya Limbando ya huko Mtwara kwenye majengo ya Chuo hicho mjini Bagamoyo hivi karibuni. (Picha na Hemed Kimwanga).

現地の新聞にのった

ビーチサンダルをペタペタ言わせながら、砂地を歩いて、学校に向かう。

小学生のころに戻ったようで、何かウキウキしていた。

知らない人たちとすれ違うと、「フジャンボ！」「シジャンボ！」とあいさつしながら通った。

朝九時から昼まで二クラス踊り続ける。

バガモヨは一月から三月までが雨季。

僕らが通った六月は、タンザニアでもとても暑い季節だった。

先生のルイーザは一緒に踊っているだけで、こっちもすごく熱くなってきてしまって、時間を忘れて乗せられてしまう。

昼ごろになると本当に暑くて、踊ってなどいられなくなる。

汗びっしょりになった体を学校の冷たいシャワーで流して、それからランチを食べに店が並んでいるバガモヨの目ぬき通りの方に出かける。

インド人のやっている店がこぎれいに営業していて、店の前には、わけもなくたむろしているおじさんが必ず二、三人いる。

日本人の生徒同士で食べに行ったり、ヨーロッパから来た学生たちと食べに行ったり。

それからまた午後のクラスがはじまる。

四時くらいまでの間、ずっと汗びっしょりかいて踊り続ける。

休み時間になると学校の庭先で、ルイーザたち先生方はみんなでチャイを飲む。

彼らはその時間が楽しみでしょうがないようだ。くだらない話をしながら、あまいチャイをいつまでも飲んでいる。

先生たちも演劇をやる人が多いせいか、誰かのまねをしたり、冗談を言っては飛び上がって喜んでいた。

そんな風に明るい彼らを見ていると、心の底から自由だなと思った。

先生に言われて、おっかなびっくりはじめたダンスなのに、ダンスのレッスンは、楽しくて仕方なかった。

こんな毎日をずっと続けていくと、僕もアフリカ人みたいに自由になれるのではないかと

屋台のチキン屋さん

思ったりした。

体が自由になることは、心とも関係しているみたいだ。

自分の気持ちの通りに体を動かしていると、自分がいろんなことを感じながら生きていることがわかる。

まさか自分がダンスをやるなんて思ってもみなかった。

そういえば小学生のとき、近くのバレエ教室に通ってみたいと思ったことがあった、女の子ばっかりだったし、恥ずかしくてはじめなかったけど、アフリカでなら何も恥ずかしくはなかった。

意外にも僕のダンスは筋がいいと、好評だった。精一杯汗をかいて、みんなに喜ばれるのは、うれしかった。

夕方、踊りの稽古が終わると、田中さんと宏子さんと一緒に帰った。

泊まっているゲストハウスまで、三十分も歩かなければならないのだが、砂浜をずっと歩いて帰るので、景色がいいからか、別に遠いとは感じなかった。

僕はお父さんとお母さんに連れられて帰る子どものように二人の後からついて行った。夕日が、僕らの影をすごく長くしていた。

屋台に寄って、その場で揚げてる焼き鳥のようなものやフライドポテトを縁日に来たみたいにつまむ。陽気なリンガラ音楽がいつでもラジカセから聞こえている。

一日の終わりに飲むビールはとても美味しかった。

すべてはバランスよく動いていた。忙しい

わけでもなく、何もすることがないわけでもなく、食べて、踊って、飲む、そんな生活だった。

日本で悩み考えていたことを、一粒ずつ汗に流していって、その代わりにアフリカの命が溢れる水を体に入れていくみたいだった。

日本で何を考えていたのか思い出せないくらい、毎日が輝いていた。

ハクナターブ（大丈夫）

彼らのように、毎日自由で幸せに暮らせたらなぁと思う。

もちろん悩みもあるのだろう、でもたいてい、日本人では考えられないパワーで、「ハクナターブ（大丈夫だよ。なんとかなる）」で乗り切ってしまう。

不思議とその言葉を使うと、たくさんある問題がどこかに行ってしまう。

彼らは大金が入ると、ほとんど身内たちにお酒やごちそうをおごって、一日でスッカラカンにしてしまうし、次の日、お金がなかったとしても、

「神さまが助けてくれるよ」

と言い切って。本当にそうなってしまうから不思議だ。

困ったら誰かがまた助けてくれる。

明日の心配は明日しよう、という気持ちで生活している。

いつも不安材料を挙げつらね、心配したり、ムキになったりする僕らとは、大違いだ。

不安材料があっても、何もしない。ただ「ハクナターブ」と言って、そのまんまにしている。ナマケモノみたいに感じるけど、「自分の人生はいつも正常に動いている」ということに疑いのない自信を持っているのだろう。

「シシトゥポ（私たちはここにいるよ）」

という言葉もよく使う。

「ここにいる」って、別にわざわざ言わなくてもいいのに………、と思うのだが。かなりそこを強調して言うので、

「俺たちは、このまんまで、楽しく生きてるぜ」

と誇りに思っているのだと思う。

自分がここにいる――どこかへ行かなくちゃ、東京に出なくちゃ、外国に行かなくちゃ、とか思わないで、オンボロの服を着て、「ここに生きてる」ことを主張してる人たち。

そんな風に堂々と世界のど真ん中に生きている彼らを、羨（うらや）ましく思う。

たとえば、約束の時間に友だちが来ない、日本人なら当然怒る、でも彼らはあまり長く待

ちもせず、どこか自分の興味あるところへ行ってしまう。そして偶然どこかでその待ち合わせた人と遭遇したりする。

それで目的は達成されるわけだ。

約束に縛られもせず、自由にいても、なんにも問題なさそうにしている姿は、僕たち日本人からすると、不思議なように思える。

約束そのことよりも、自分が楽しく過ごしているかだ。自然の成り行きを大切にして、それ自体が、人を人らしくさせ、健康で自然な人間関係も生まれるのかもしれない。

音楽でも同じことがある、太鼓を二人で叩いていて、リズムが合わなかったりする。

それでも構わず、自分は自分のリズムを叩き続け、相手も、自分のリズムを叩き続ける、ある種、音楽的にはぶつかって、めちゃくちゃな状態になる、そこで、お互いに本質的な表現をして、そして本質同士が、対話し、自然に混ざりはじめる。

そこで初めて、アンサンブルとしてまとまったり、あるいは、そうならなかったりする。

そのとき、表面的に、形だけ合っていれば良いという音楽よりは、はるかに深い音楽になってくる。

「ハクナターブ（大丈夫）」

そう言いながら。

自分たちが生きていること存在していることを疑わず、むしろそんな自分の振る舞いが、愛おしくてしょうがないかのように、楽しんでいるみたいだ。

バガモヨ芸術大学

あるとき、学校に行ってみると、授業前に来ているおじさんがいて、マリンバ（木琴）を先生に習っていた。ペンキ塗りかなにかの普通のおじさんで、髪が少し薄く、とっくに四十歳は越えているだろう、仕事の前に習いに来る。

お世辞にも上手とは言えず、おぼつかない感じで、何回も同じ所でつかえていた。それなのに、彼のマリンバは、妙に「味」があった。今まで乗り越えて来たさまざまな出来事が、そのマリンバを通してにじみ出ていた。とてもまねのできない深みのある音。

僕たちは、黒人は太鼓やマリンバができるのをあたり前のように思いがちだが、できない人もたくさんいる。日本人みんなが三味線を弾けるわけではないのと同じだ。

でも彼の場合、できなくてもやろうとしているところが、すごいと思った。

芸術というのは、いつでも、誰でも表現できるものなのだ。

先生方も、彼の技術的なレベルはさておいて、やってみようという姿勢や、音の純粋さを認めていた。

そんな彼の演奏を見ていたら、なぜか勇気づけられた。自分の国の伝統を、守ろうとしているその誠実な気持ちに打たれた気がした。

学校では、月に一、二回くらい、夜になるとステージでショーがある。学生はただで見ることができる。コメディー、アクロバット（体操芸）、音楽と踊り、ザウォセさんのイリンバ、合唱。たいてい学生たちの練習の成果を見せる発表の場であり、先生たちのお手本を見せる場でもある。これらのショー、踊りや太鼓のことを総称して「ンゴマ」と呼んでいた。

ショーも面白いが、アフリカの観客はもっと面白い。

演劇をやっていても子どもたちはワイワイガヤガヤやっているし、ウケればピーピーはやし立てて、もっとうるさくなる。劇や踊りの中できわだって面白い人がいると、お客が踊りながら舞台に上がって行って、その人の胸ポケットにお金を入れる。最高に面白かったときは何十人ものお客さんが舞台に登って、舞台中お客だらけになってしまう。

感じたままに、その場の素直な反応を思わずしてしまう人たち。そこにアフリカ人のアフリカ人らしさがある。それを見ているだけで面白い。

夜は満天の星。劇や音楽（ンゴマ）が終わると、みんな月明かりの中を三々五々帰って行く。アフリカの夜はきれいだ。

どんな小さな星でもよく見える、天の川もいつでも見えていた。

周りに電燈がほとんどないから、目が慣れてくると、月や星の明かりで道が照らされて、暗くてもよく見えてくる。

ンゴマを見終わった家族づれや、子どもたちが、ポツンポツンと同じ道を歩いているので、全然さびしくない。人とすれちがうと、相手の笑いながら挨拶する白い歯だけが見える。

白い歯が「ジャンボ！」なんて言って通り過ぎるが、誰だかまったくわからない。

次の日に「昨夜会ったね」と言われてようやく誰だかわかったりする。

小さなケロシンランプを箱の上に灯して、チャイ屋さんがお茶を出している。

そのそばを通ると妙にあったかく感じる。

昼間にあびた太陽が、彼らの中ではまだ残っているようだ。

たまたま通りかかった家をのぞくと、ランプの周りに何人か人がいて、チャイを飲みながらこっちを見て笑っている。そして、「カリブ（いらっしゃい）」と誘いかけてくれる。

「アサンテ（ありがとう）」と言ってお茶をもらう場合もあれば、そのまま通り過ぎるときもある。

ウィッチドクター（呪術師）

宏子さんたちと、屋台の居酒屋で、ワンズキというはちみつでできたお酒を飲んで夜中の十二時ぐらいになってしまった。帰ろうとすると、近くで太鼓がはげしく鳴り出した。

僕は、太鼓の音を聴くと黙ってはいられないので、宏子さんたちを連れて音の鳴ってる方へ行ってみた。真っ暗闇の中に、ランプがいくつかついていて、そこに三、四十人の人々がなんとなく輪を囲むようにたたずんでいる。

みんなお酒を飲んでいるらしく、和やかに笑っているその輪の真ん中に女の人が一人うずくまって、そのとなりで小さな太鼓を女の人がリズミカルに激しく叩きながら踊っていた。みんなは口々に歌を歌って、一人のおじいさんが、動物のしっぽを持って、叫んでいる。

宏子さんが近くの人に、これは何かと尋ねると、「精神的な病気を治す儀式だ」と言っていた。真ん中にいる女の人が病人で、しっぽを持って叫んでいるのがウィッチドクター（呪術師）だという。魔法で人を治すお医者さんのことだ。

とり囲んでいる人たちはみんな彼女の家族や親類関係なのだという。

しばらくして、太鼓の音がクライマックスに達したとき、その真ん中の彼女が、早口で訳のわからぬ言葉をしゃべり出し、痙攣（けいれん）しはじめた。それがあまりに、早口なもので、僕は笑い出しそうになってしまった。

みんなは、その内容について小声で話し、クスクス笑っていた。

そしてまた太鼓がはじまった。僕は、あまりの気持ちよさに、近くにあった、アルミの器を叩かずにはいられなかった。

女の人が、また体中を激しくけいれんさせて、地面をのたうちまわりだした。

真夜中に、ランプの明かりだけの薄暗い、誰かの家の中庭でやっていた儀式は、どこか怪しさがただよっていたが、その太鼓のリズムから体がふるえてきそうなぐらい、すさまじいパワーを感じた。

病人だった女の人が痙攣しながら口から泡を吹いてぶっ倒れて、家に担ぎ込まれると、周りで見ていた人たちが、次々と輪の真ん中に入り、ふざけた様子で踊ったり痙攣するふりをして、笑っていた。歌は、いつ終わるともなしに続いていた。そのあとは、みんな楽しそうに、火を囲んで踊ったり、お喋りに興じたり、深刻な雰囲気とはかけ離れたパーティーのようになっていった。

夜一時を過ぎていた。僕の中の何かと同調したのか、しばらくショックが抜けず、茫然としてしまった。

これこそ、僕が見たかったものだ。音楽の本質がそこに凝縮されていた。

音楽は、人を治すことにも使われている。

そのときの音楽の、不思議な感覚は、とても忘れることができない。

それまで見てきた、ショー的な飾られたものとは違う、生々しい音楽。

それは、これまで自分の生きてきた人生観を変えてしまうくらい、圧倒的な出来事だった。

太鼓レッスン

ダンスだけ習い続けて一カ月経った。ダンスがあまりに楽しいので、

「ダンスだけこのまま習っていたい」

と宏子さんに話すと、

「ダメダメ、日本に帰ってからあんたに太鼓叩いてもらいたいのだから」

と言って、彼女は、そろそろコイケに太鼓を教えはじめてくれと、先生にお願いした。

それでも、ダンスができなかったら、太鼓も叩けないので、午前中ダンス、午後は太鼓を習った。先生はバタという名だった。

太鼓を習いはじめると、これもこれで楽しかった。

今までダンスで習った曲の一つひとつのフレーズを太鼓で習っていく。

「ドタタタドン　ドタタタドン　タタドン」

パートパートで振りを体で覚えているので、すんなり曲が頭に入ってくる。

それでもまだ手がついていかないので、初めはゆっくりワンフレーズずつ繰り返して覚えていった。

こうして好きなことを勉強できるということは至福の時間だった。

何よりバタ先生の人柄が好きで、マンツーマンで教えてもらってるだけに、楽しく学ぶことができた。

バタの太鼓を真近で聴いて、その手さばきと音をつかんでいく。

波の音と木陰のすずしい風が、この太鼓のフレーズと一緒に脳裏に焼きついていった。

太鼓の先生バタ

太鼓のレッスンが本格的にはじまった。

海が見下ろせる少し小高いところにあるこのバガモヨ芸術大学は、とても気持ちのいいところだった。椰子の葉の屋根でできた練習小屋でレッスンを受ける。たまに、マンゴーの木陰の広場で太鼓を叩いたり。

たまに近所の牛追い途中の子どもたちが、僕らのレッスンを窓から眺めていたり、暇をもてあましているアフリカ人の学生たちも、笑いながら眺めたりしている。

僕の太鼓の先生は、いつも苦虫を噛みつぶしたような渋い顔をして、多くは語らずに肩で風を切って歩いていた。大きな腹をつき出して、おしりをぷりっとつき出して歩く。彼の名前〝バタ〟は、アヒルという意味だ。

スワヒリ語もろくにわからなかった僕に、手取り足取り教えてくれた。先生の叩く太鼓をまねして叩いて、合ってるか確認しながら教えてもらった。少し間違えても、やさしい目で首を横に振り、「ハパナ（違う）」と言って、ゆっくりと丁寧にたたき直してくれた。

「エンダ　ポレポレ（ゆっくりやっていこう）」

一日の授業が終わる時はいつも、

「ハクナクサハウ（忘れちゃダメだよ）」

と人差し指を横に振りながら、にこやかに言った。

太鼓の先生で、お酒を飲まない人はいなかった。バタは一人でいるのが好きで、お酒も大好きだった。居酒屋でも、一人で焚火を見ながらチビチビと飲んでいた。

たまに僕が通りかかると、「コイケ」と手招きして、ジェスチャーでお酒をおごれと言った。ヤシ酒のコップの底から出てくるチュチュチュという泡が、飲むとチュチュチュと頭にのぼって酔っぱらう、と言っていた。

彼には、奥さんが一人いる。バタより年上で、彼より背も高かった。美人の大女だ。

人はバタのことを愛妻家だと言っていた。確かに彼は浮気もしそうになかった。家にいるバタと奥さんを見ると、本当に幸せそうだった。この世にこんな幸せそうなカップルは見たことがないというくらい、満足気な顔をしていた。

僕もあんな風に暮らせたらなぁ、と思った。普段は寡黙な先生だが、太鼓を叩く時は特別だった。風のように太鼓を叩いた。

バチを使って叩くのがうまく、リズムは宙を浮いているかのように響いて、踊るようになめらかにバチを使った。若い時は、優れたダンサーでもあったという。

それは、やさしさのこもった、それでいて力強い音だった。僕は、彼のようなドラマーになりたくてしょ

ンゴマ（ピパ）

うがなかった。彼はそんな僕の気持ちを察してか、「君は僕のように叩けるようになるよ」と言ってくれた。

彼のソロを聴くと僕はウーッと、音に打たれてしまう。

タンザニアでは、ドラム缶の金属を筒にして牛の皮を貼った「ピパ」という太鼓がよく使われていた。

ピパは大中小三つの太鼓を横に並べ、曲によって手で叩いたり、バチで叩いたりする。曲によって、太鼓の配置も変わるが、大抵、大きい低音の太鼓を真ん中に置き、右に小さい高い音の太鼓、左に中くらいの中音の太鼓を配置する。

皮には短い毛がついたままだ。毛がついていると、音は少しミュートされて、中低音の太鼓が、ちょうどベースみたいな音に聴こえる。

まるで言葉を喋るかのように、リズムをフレーズのように歌う。

バタはこの太鼓の名手で、歌っているように、そして踊っているように、並べた太鼓を素早く撫で回すように叩く。音と体が、一体となって響いた。

それを見ると、「踊りをやらないと太鼓は叩けないよ」と言った彼の言葉がよくわかる。

ピパは、必ず小太鼓（キンガンガ）とのセットで演奏された。

僕は上手に叩く人を見ると、大抵とてもかなわないと思うと同時に、やや嫉妬して、「悔しい、なんで自分はああやって叩けないのだろう」と思ってしまう。だけど、バタが叩くと、そんな風には思えない。

見ていて悔しいとか羨ましいとか思う前にただ、幸福がおとずれ、他人に何かやさしくしてあげたくなってしまうだけだった。自然に顔が緩んで笑顔になっている自分に気づく。と同時に、体が動いて踊り上がろうとしている。どうしてもそうなってしまうのだ。それは、彼の謙虚さや、素直さ、やさしさ、それまでの人生が、音楽になってそういう気持ちにさせるのだろう。

曲は踊りと一緒にあるので、すべてのリズムはアドリブを入れる余地なく決められているのだが、先生方はその中でもいろいろな飾りの音を入れたり、裏打ちで入ったりして、独特なグルーヴ（ノリ）を作り上げていた。

まずは、小さな太鼓「キンガンガ」のリズムから教わる。一番簡単なはずのキンガンガのリズムですら僕には難しかった。

すごく高い音でずっとリズムを繰り返す。三拍子と四拍子が合わさったリズムが同時に聞こえるフレーズ（ポリリズム）を一人で叩くのが、基本だった。

キンガンガ

キンガンガは、細く軽いバチで叩く。一人で叩くときもあれば、二人で違ったリズム（四拍子と三拍子）を組み合わせて（ポリリズムを）叩いたりする。

「グルーヴ（ノリ）を作り出す」というのが、このキンガンガの役割だ。

先生方のキンガンガの叩き方を見ていると、まるで、「キンガンガが主役だ」とでもいうように、容赦なく思いっきり叩いて、それを原動力としてピパがメロディーみたいにうねるリズムを出していく。

キンガンガは、高い音が出るように、山羊の皮の打面の毛は剃ってある。

最初は、このキンガンガ（小太鼓）のリズムをやっとこ覚えて、慣れてくると、「ピパ」（中低音太鼓）でフレーズを打てるようになってきた。

一日中太鼓を習って、アパートに帰ってからもやることがないので、太鼓を叩いて、フレーズの復習をしていた。さすがに一日六時間以上も太鼓を叩いていれば誰でも上手になれる。

同じ曲を何度も何度も練習していたので、アフリカの匂いや生活がこれらの曲とともに自分の中にしみこんでくる。その中に、成人儀式の踊りがあった。

これは、二十歳の自分が大人になるためにある曲だとばかりに「オレ、大人になれ！」という気持ちを込めて、一生懸命何度も叩いて覚えた。

アフリカのリズムはたいてい左手からはじまる。

南半球だからなのか。（南半球だと、トイレを流すと左回りに流れていく。）

リズムのウラを、まるでオモテのような感覚で打ちはじめるのだ。

自分で叩いていて感じるのは、太鼓には一度すべてをリセットする力があることだ。自分がどんなに凝り固まっていても、太鼓を叩けば、自分がどんな状況、どんな状態にいるか、すべて現れてしまう。

太鼓でカッコつけようとしてもすぐにばれてしまう。それらを全部捨てさせてくれるものが太鼓なんだなあと思う。

バタを見ていると、音楽に正直であることが、そのまま現れている。だから太鼓を叩いて、からっぽになる時間があるというのは誰にとってもいいものだなと思う。

天才マウリディ

道を歩いていると、居酒屋の店先にどこかで見た人がいた。

マコンデ出身のドラマーでダンサー、バガモヨ芸術大学の先生マウリディだ。

真ん中の歯がぬけていて、真っ赤に充血した目はいつも半開きで、近寄ると酒の臭いがぷんぷんした。アル中のおじさんにしか見えない。

いきなり話しかけてきて、皮肉っぽい冗談を言って、一人で笑っていた。

僕は、どう対応していいのかわからず、「ハア」とか「ヘエ」とか言っているしかなかった。

突然笑い出したり、真剣な顔つきになったり、話していると何かおそろしいものを感じ、本当に気がふれているんじゃないかと思ったりした。

「君は、今お財布にお金を持っている、そのことが、君には今一番重要なことだ！　うん、そうでしょ？」

と、一人腕組みをして、うんうんうなずいている。

独特な世界観を一人で確立しているらしく、みんなにとって扱いづらい存在で、なんとなく孤立していた。

それから何日かたって彼のダンスの練習を見たが、彼の動きは、今まで見たこともないくらいすばらしく、それは繊細で絶え間なく何かを語って、まるで、爬虫類（カメレオン？）のように体を変えていった。

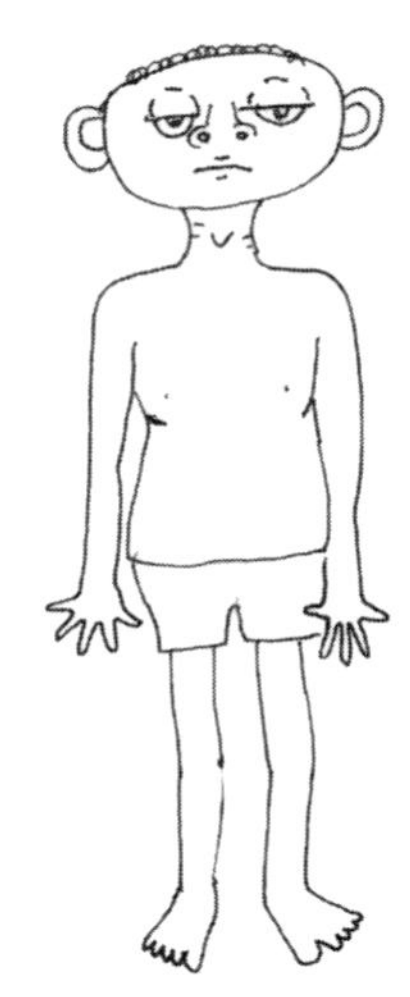
マウリディ

とても同一人物と思えなかった。

マウリディは「ムトーニャ」の名手でもあった。

ピパやキンガンガは、舞台の脇で叩かれるのに対し、ムトーニャは主にタンザニア南部のマコンデのンゴマで使われる太鼓で、踊り手の中まで入って、舞台の中央で叩かれる。高さ一メートル直径二十センチくらいの円柱の木をくり抜き、ヤギの皮を片面に貼っているが、どんな太鼓より、特別目立つ太鼓。

それが「ムトーニャ」だった。

「ムトーニャ」を抱えて舞台を自在に踊りまわりながら、ところどころかっこいいフレーズを叩いて踊りを盛り上げていく。自由で奇想天外なフレーズに度肝を抜かれる。下打ちの太鼓と合っていないようにみえて、絶妙に合っているのが不思議だ。

股に挟んで叩いたかと思うと、頭上に乗っけてみたり、脇に抱えて叩きながら歩き回ったりするので、とても軽い木でできている。皮の真ん中にゴムが貼ってあって、チューニングが下がらないように工夫されているものもある。

高い音が必要なため、山羊の皮が貼られ、打面の毛は、

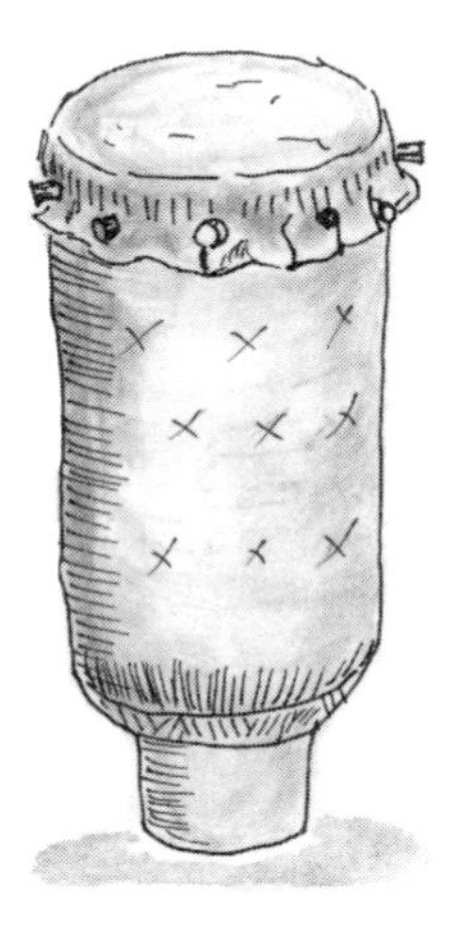

ムトーニャ

ジェンベ（西アフリカの太鼓）と同じように剃ってある。

　この太鼓を使う曲では、「ムトーニャ」の合図に合わせて踊りが変化したり、舞台の真ん中で、踊りと一緒になってフレーズを歌うように叩く。

　西アフリカのジェンベのような存在だが、音はジェンベのようにカンカンしていなくて、東アフリカ特有のトントンとした丸みのある音だ。

　舞台では、夢のような踊りを踊る人だったが、ふだんの彼は一転、皮肉たっぷりの冗談でそこにある矛盾した状況を、さらっと笑って立ち去ってしまう。

　その振る舞いは、混沌とした世界を描く、マコンデの彫刻やジョージ・リランガの絵のようだった。世界のウラとオモテがつながった、狂乱に似た世界がそこに展開されるのだ。

　シェタニ（精霊）たちが空を飛んだり、太鼓で踊ったりする姿を描くリランガの絵のように、アフリカの田舎の生活は、夢と現実が一緒の世界だと思った。夢から覚めても、マウリディのような人が踊っているような現実だし、話していることも、嘘だかほんとだかわからないようなことを話している。

　そして、太陽は夢のように暮れてゆく。何もなくても、彼らは道ばたでぼんやりと夢見心地でいるし、太鼓を叩いたって、踊っていたってまるで夢の世界みたいだ。夢を見たそのままの目で、外を見ている気がする。

そして、生活で起きること一つひとつが、また夢に出てくるのだろう。

ラジオマン

学校の行き帰りの道で、いつも出会うおじさんがいた。

サングラスをして、つばの長い麦わら帽子をかぶった、ちょっと太めなおじさんは、ブルースシンガーのようなしゃがれ声で、ずっと独り言をしゃべり続けていた。

「今日は晴れ、子どもが道を走っている。彼のお父さんは車を運転する人である」

日照りの中を、一人、単調な調子で、村の風景を実況中継している。

僕が彼の前を通り過ぎると、

「日本人が一人道を歩いている。彼の父親はお金持ちである。そして彼は言った。イエーイ」

僕は、「イエーイ」なんて言ってないのだが、町の風景に、勝手にあることないことつけ加えて語っている。

僕と一緒に太鼓を習っている白人たちは彼のことを「ラジオマン」と呼んで笑っていた。

なるほど、ラジオマン！　誰に迷惑をかけるわけでもない。独り言を言いながら道を歩いていたって彼の自由なのだ。面白い存在ではある。

バガモヨ　学校の行き帰りの道

ある日、バガモヨ芸術大学の学長室に用事があって座っていると、ラジオマンが突然入ってきた。

彼は、校長先生の何かに抗議して、お金を請求しているらしかった。

校長は、この村では一番のお金持ちなので、ねたみを買っているのだろうか。

ラジオマンはぶつぶつ言いながら怒っているようだった。

校長は困った様子で、部屋に引っ込んだり出てきたりして落ちつきを失っていた。

結局少しのお金を渡されて、ラジオマンは帰っていった。

校長の家から出ていきながら、ぶつぶつと、また実況中継していた。

「校長はしぶしぶお金を渡した、彼の顔は

怒ったままだった……」。

ラジオマンを笑って見ていたが、本当は怖いおじさんかもしれない。

「ラジオマン」。一人きりのラジオ局、自分で局長もＤＪもやって、マイクも電気も使わずに生の声で、無償で営業している。

サングラスに大きな麦わら帽子をかぶって今日も歩いている。

周りの人たちは笑ったりしながら、病院に入れるわけでもなく、無視するわけでもなく、ラジオマンを眺めてる。

そんな周りの人々の反応に僕はなんとなく安心を覚えた。

テレビマン

一人で部屋にいると、ラジオはスワヒリ語だし、テレビもないので、いろいろ考えたり、昔のことを思い出したり、日記を書いたり。

ある日、ベッドに横になり、カセットテープを聴きながら、ボーッとしていたら、なんとなく目の前に、さまざまな映像が流れはじめた。

この二カ月まったくテレビを見ていないはずなのに、テレビの画像が、フラッシュバックのように自分の頭から吹き出してくる。ゴシップや、アニメのキャラクターが、どんどん出て来て、まるで風邪をひいたときに見る悪夢のようだ。

これは何なのだろう？　と驚くと同時に「テレビがなくても頭の中でテレビが見られる！」と面白がっていた。自分の意志と関係なく出てくるので、だんだん気味が悪くなってきた。生まれたときからテレビのある生活をしてきたから、何カ月もテレビのない生活が続いたのが僕にとって不自然だったのかもしれない、頭の中で自分でテレビを作り出してしまった。

そのうち、その映像を自在に操って、今日あったことをテレビで放送したらどうなるか、自分の頭の中で番組を作るようになっていた。

オープニングのテーマや、解説の声、今日のトピック、歌やダンス、そんなものが次々と登場する、夢の番組。

それだけでなぜか安心する自分がいた。

自分をなだめるために、好き勝手なことを番組にしては、一人で「ワッハッハ」と笑いころげながら、想像の世界で楽しんでいた。アパートの廊下を通る人に聞こえていたら、かなり不気味に感じただろう。

一人きりでそんなことを何日も続けているうちに、「もしかすると自分は気が狂ってしまったのではないか？」という疑問に駆られた。

自分で作る番組は、さすがに有害ではないはずだが、自分の中で少し検閲を入れつつ、なるべく健康的なテーマを扱う番組を想像するようにしたりもした。

でもこうして無限に一人で楽しめることは、電気代もかからないし、環境にもやさしい。いつでもできる娯楽だなと思った。

これは、テレビが脳から出ていこうとする、浄化作用だったのだろうか。

良くも悪くも、こんなにも、「テレビ漬け」になっている自分がいることを発見した。

外国人留学生組

バガモヨ芸術大学が夏休みの間、海外の人のために、短期の留学クラスがあった。

ヨーロッパやアフリカの他の国から、ダンスや太鼓、絵画などを習いにくる人がいた。

この年も、スウェーデンからとデンマークから、それにボツワナからも男女まじえて参加していた。

外国人は僕たち日本人だけだったクラスにも、ほかの外国人が入ってきて賑やかになった。

デンマークから来たトーマス。大きな体で太鼓を叩く、まだ二七歳の色男だった。

スウェーデンから来たカイサは、ダンスを習いに来た美しい女性だった。カリンバも一緒に勉強した。

ヨーロッパから来た人たちは、バカンスみたいで、「楽しむ」が目的という感じだった。彼らをみると、僕たち日本人の頑張りすぎは「楽しむ」から遠いようにみえる。

ボツワナから来たマエザは、ラスタファリアンだった。同じアフリカ人なのに、都会的で、インテリだった。いつでもバガモヨの女の子を連れて歩いていた。

みんなとっくに社会人なのだろうが、学生に戻ったみたいにはしゃいでいたような気がする。

フェスティバル「タマーシャ」

九月終わりになると、バガモヨ芸術大学で、タマーシャというお祭りがある。アフリカ中のいろんな所から、ミュージシャンやダンサー、劇団がやってきて、パフォーマンスをするというお祭りだ。

僕ら留学生組も勉強の成果を見せるために出ることになった。

みんなそのために一生懸命練習をはじめた。海のすぐ近く、ちょっとした坂の上にあるコンクリートでできた小屋が僕らの練習場所だった。床がコンクリだったので、踊ると足の裏が痛くなる。幸い踊りの授業は午前だけだった。三十分から一時間ほど踊っても汗でびっしょりになったが、海から吹く風がとても気持ちよかった。

太鼓は午後、毎日手が痛くなるまで練習に励んだ。

まだ僕の太鼓じゃダンサーが踊れるところまで行っていなくて、怒られることもたくさんあった。

僕らは熱心な求道者のように、毎日タマーシャの舞台を目ざして練習した。

タマーシャが近づくと、みんなの緊張も高まり、村の人たちも僕たちが通りを歩いているだけで、笑顔で手を上げて挨拶することが多くなった。バガモヨ生活もピークを迎えていた。練習を見にくる子どもやおばさんたちも増え、僕らも一躍スター気分だった。

あるとき、マサイの男が練習を見にきていた。本物のマサイに見られていると、ニセモノくさいアフリカンダンスをやってはいられなくなる。僕らがいつもより一生懸命踊ると、みんなも同じように気持ちを込めて踊っていた。踊りながら、歌を歌い出してしまいたくなる気持ちの、ものすごい高揚と一体感が生まれた。

僕もいつのまにかワケのわからない、自分流のデタラメな歌を歌っていた。なんとなしに、天地がつながっていること、神様がいるということを体で感じた。そして体全体で歌っていた。それはまさに自分を神に捧げ祈る、という行為そのものだということに気づいた。

いよいよ本番タマーシャがやってきた。僕らの練習もいろいろあったけれど、なんとかまとまり、みんな興奮していた。

三日間のお祭りだ。僕らは、バガモヨ外国人組として、舞台の最初を飾ることになった。緊張と不安で、どうすればいいのかわからないまま本番を迎えることになった。

リハーサルはしたものの、僕の太鼓だけがなかなか合わない。

デンマーク人が小さな太鼓（キンガンガ）を叩き、僕は大きな太鼓（ピパ）を叩いた。アフリカの狩猟の踊りを、スウェーデン人や日本人、ボツワナ人を交えての外国人組が何百人かの観客の前で踊った。

日本人と黒人と白人が並んで踊っているせいか、観客は面白がっていた。

何カ月も練習してきた成果が、この三分で出てしまうということで、緊張してガチガチになっていた。

小太鼓が始まり、いよいよ僕が大きな太鼓を叩く番。叩きはじめると、

「あれ？」

なんということだろう！　太鼓を並べる順番を間違えていた。これではうまく叩けない。叩けないけど途中でやめるわけにも行かず、手は汗だらけでバチが手からすべり落ちそうだったが、ぎゅっとにぎってなんとか叩いた。

タマーシャ

隣にいた先生は、あわてている僕に、いつも通りの雰囲気で、

「ポレポレ（ゆっくり）」

と言った。いつの間にか演奏は終わって、拍手を受けていた。呆然としながら、終わったということにホッとしていると、日本人のダンサーに間違えを怒られた。太鼓すら、ちゃんと叩けなかったことに一人落ち込んでいると、太鼓の先生が、

「そんな間違いはよくあることだ」

と言ってくれた。

僕にとっては初めての大舞台で、失敗をしてしまった。舞台の上に立つ時間も、練習の時間も、人生の中では同じ「今」。今という時間は、舞台の上でも下でもいつも同じなのだ。なのになぜ舞台上の結果ばかりを気にしてしまうのか、そんなことを考えさせられる良い経験だった。

アフリカの各地から、芸達者な人たちが集まっていたタマーシャには、南アフリカのゴスペルコーラスグループも来ていた。「コシシケレリ　アフリカ」を歌うのを生で聴いて、神様に直接届いていきそうな、その迫力に深く感動した。

「アマンドラ！（自由を我が手に）」

と言う声が、切実な響きを持っていた。ネルソン・マンデラが、まだ獄中にいた頃のことだ。ジンバブウェの演劇、リンガラポップのスターたち、アクロバット（体操）、一日でどれだけの舞台が繰り広げられていたのだろう。コメディー、歌謡曲などバラエティーに富んだこのスタイル、見ているだけで、幸せな気分になっていく楽しいフェスティバル。

これは、どこかで見たことがある、と思っていたら、ドリフの「8時だヨ！　全員集合」のスタイルだった。いかりや長介さんがアフリカ好きで、このスタイルを日本でやりたくて、あのテレビ番組にしたのではないか、と思ってしまった。

夜になって留学生組の舞踊がはじまった。

舞踏ダンサー田中さんが踊り、デンマーク人のトーマスがインディアン太鼓を叩き、ガラスを割る音をたくさん入れた録音を流すという前衛的コラボレーションをしていた。

アフリカ人たちは、

「なんだこれは？」

と言ってザワザワしていた。どう対応していいのか、わかりにくかったようだった。

僕には面白かった。アフリカで現代的舞踏を見ていると、深刻そうな踊りも、ユニークな観衆の空気で、「踊りは本来遊びだよ」という気持ちで眺めてしまう。

そのほかに、日本人留学生組として、阿波踊りみたいな日本のリズムと踊りを披露した。和太鼓のリズムを、何気なくやったのだが、アフリカ人や外国人には魅力的だったようで、不思議と評判が良かった。

タンザニアのダンスは、どれもみな土着的な生活に根ざしたものだった。

自分たちの生活、ふだん思っているようなことを、一つひとつ遊びながらダンスにしてきたと思った。

日本人の僕でもなぜか懐かしさを感じつつ、かえって新鮮にすら思える。

こんな土着的な昔の踊りを日本にも復活させたいと、いつしか思うようになっていた。

アフリカのリズムは、心臓の鼓動から生まれているという。

日本の阿波踊りのリズムとも似ている。

ザウォセさんは、地に根ざした自然な生活の中から音を奏でている。

今の時代に、どんな遊びが、どんな踊りが一番自然なのだろう?

第五章　親指ピアノ

チリンバ・チャーリー

「ビヨンビヨンビヨンビヨーン」
僕と同じ歳くらいのアフリカ人が、不思議な音をたててやってきた。
彼が持っていたのは、カリンバ（親指ピアノ）だった。
カリンバは、渋谷の路上でヒッピーのおじさんが演奏しているのを見たことがあった。
でも、彼のはすごく小さなカリンバで、ポケットにも入る大きさだった。
彼はフクウェ・ザウォセさんの甥っ子で、チャーリーという。
チャーリーは自慢げにそれを自在に弾いてみせた。

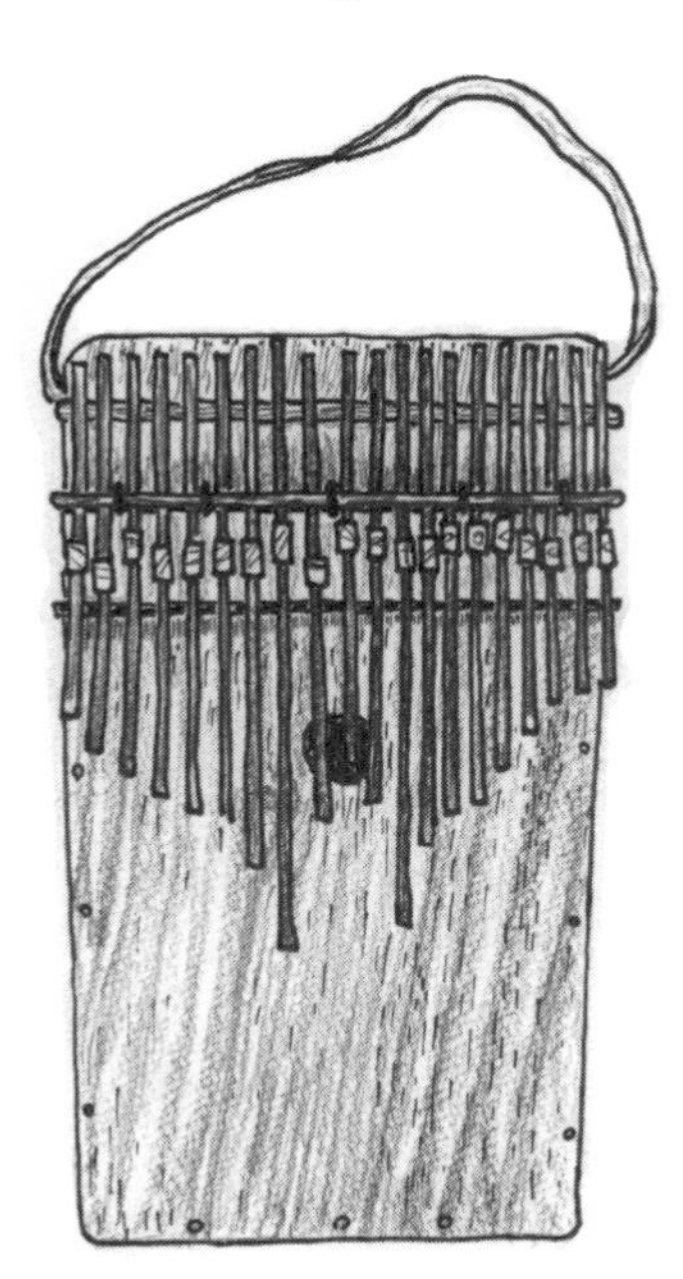

カリンバ　一般的な総称。元は、アメリカ人がつけた商品名。現地でもカリンバと呼んだりする。スワヒリ語では「リンバ」。「イリンバ」は大きいカリンバのこと。「チリンバ」はゴゴ語でいうカリンバ。「マリンバ　ヤ　ムコノ」（手のひらマリンバ《木琴》）もしくは単に「マリンバ」と呼ばれることもある。

「これ、誰が作ったの？」と聞くと、

「僕が作った」

と言った。小さいのにすごくいい音がした。

僕はどうしてもそれが欲しくなり、彼に僕の部屋に寄ってもらい、三〇〇〇シル（日本円で約千円）で売ってもらった。

僕は前々から欲しかったカリンバ（親指ピアノ）を手に入れて、上機嫌だった。

初めて弾いているのに、初めてという感じがしないくらい、自分に合っている気がした。

ベッドに寝っころがって、何時間でも弾いていた。

曲を覚えたくなって、すぐにチャーリーに教えてもらいに行くことにした。

彼にチリンバ（ゴゴ語でカリンバのことをいうが、小さいカリンバのこともいう）を習うのは、楽しくてしかたがなかった。

学校やピアノ教室で習うときとまったく違っていた。

チャーリーから習っていると、彼がどれだけチリンバを好きかが伝わってくるので、どんどん引き込まれてしまうのだった。

僕はおやつに手をつけて止まらなくなったみたいに、どんどん音楽にのめり込んでいった。

それはまるっきり自然な形で、ただ楽しいからやっている、それだけで十分だった。

ザウォセ家。右端からチャーリー、ウビおじいちゃん、フクウエ・ザウォセさんの奥様方と子どもたち。

彼は事細かに教えるのでなく、
「自分で、自分が一番気持ちのいい音を探せ」
と言った。
時間の許すかぎり、疲れるまで、
彼は熱心に教えた。
僕もヘトヘトになりながらも一生懸命、頭に叩き込んだ。
そして、つかえながらも一曲が弾けるようになると、二人で合わせた。
彼は、大きく目を見開いて、
僕を見ながら歌った。
他の何をしているときよりも気持ちよかった。
二人で同じ曲を、
何時間でも弾いていた。

僕らは音楽の中で、本当に素直だったので、そこでわかり合えた気がした。痩せていて、僕と同世代で、似たような背格好の彼は、いつも僕の部屋に声をかけにきてくれた。

僕が風邪を引いて、宏子さんに「マラリアかもしれないから」といってクロロキンという予防薬を飲まされ、三日間くらい寝込んだときもチャーリーは、フライドポテトや、ソーダを買って来てくれたりした。

やさしいというだけでなく、底ぬけに明るいので、いつも僕を元気づけてくれた。

他の日本人がいなくなって僕が一人だったとき、一カ月ぐらい、牛追いの手伝いに連れ出してくれた。

棒きれを片手に持ちながら、途中でマンゴーを取ったり、ヤシの実を取って中の汁を飲んだり、ヤシ酒屋さんでお酒をもらったり、歩きながらチリンバを弾いて、歌を歌ったりした。

雨が途中で降ってくると、牛たちと一緒に近くの空家に入って雨やどり。

ときには、ものすごく遠くまで行ってしまい、二時間ぐらいかけても帰ってこられないときもあった。

牛追いの合い間に彼の髪を刈ってあげたこともあった。

毎日、牛を追って何キロも歩いていると、自分がアフリカ人になったような気がしてくる。

牛追い

チャーリーと一緒に牛追いをしていると本当に楽しかった。こんな暮らしの中だから、こういう音楽が生まれるんだ、と思わずにはいられなかった。

最初は、アフリカに来たのだから、少しは何か身につけて帰りたい、という程度の気持で親指ピアノを習いはじめたが、すぐにこの楽器が自分になくてはならないものになっていった。

一人でホームシックになって心底さびしくなったとき、海を見ながら何時間でもこのカリンバ（親指ピアノ）を奏で、そうしているうちに元気が出てきた。

星を見ながら、祈るような気持で奏でていると、不思議な世界に連れて行かれるような気がした。

ベッドの上で奏でていると、いつの間にか寝てしまい、自分がどこにいるのか、何をしているのか、一瞬わからなくなってしまう。

他の娯楽が少ないので、何にも煩わされず、ひたすらチ

チャーリー

リンバに集中していた。

一つひとつのフレーズを覚えていく、一つのフレーズを覚えただけで、自分が、なんだかすごく特別になった気持ちがしてくる。

地平線に向かって歌え！

誰も、比べたり、急かしたり、蔑んだり、批判したり、しない。一人も、羨んだり、足を引っ張ったり、陰口を言ったりしない。そんな中で、音楽をしているのはこんなに自由なのかという開放感だった。

他にすることが何もない中で、ただただチリンバだけを弾いていた。

上手くなって、有名になろうとか、お金を稼ごうとか、そんなことすら考えてもいなかった。

ただチリンバを、弾いていることが好きだった。

チリンバを弾いている自分も好きだった。

他に何もないというのは、逆にかぎりない力を秘めている。

時間がかぎりなくあるような気がしてくる。

そんな状況が、目の前にあるということが、なんだか不思議で仕方なかった。

チリンバを弾いて、ずっと同じフレーズを奏でながら、いろんなことを回想している。

遠い日本のこと、友だちのこと、昔あった出来事、昔見た風景。

チャーリーに「モチャニ」という曲を教えてもらった。

遠くに行ってしまった恋人のことを思う歌だ。

僕は日本で、大好きだった女の子にふられてしまい、そのままアフリカに来たので、この曲はこのときの自分の心境とつながった。

砂浜で、夕焼け空を見ながら、遠い日本の方へ向かって、何度もこの曲を歌って、神様に祈った。いつかまたその娘に会える日を夢見ながら。

チャーリーに習ったのは、チリンバのことだけではなかった。

「可能性をあきらめないこと」

彼の生い立ちがそのことを物語っていた。彼はタンザニアの首都ドドマの片田舎で生まれ、父親を早くに亡くした。

ヤシの実を食べる

叔父のフクウェ・ザウォセさんが彼を引き取った。

アフリカでは親戚が父親の代わりをすることは、よくあることだ。

ザウォセさんも本当の息子と同様に彼のことはかわいがり、育てた。

マラリアの熱で左目をなくし、片目は義眼で生活していた。

ザウォセさんに音楽を習い、お酒も飲まず、たばこも吸わず、ひたすらにイリンバ（大きなカリンバ）を練習し、ザウォセ家の中でも抜群にその才能をあらわしていた。

彼はどこか浮世離れしたところがあった。そんなに努力していても、他人と比べたり、競争などで自分を見失ったりすることはなく、「どうぞご勝手に」というマイペースな雰囲気を持っていた。

自分のことよりも、まず友だちや兄弟のことを考えて、何も言わなくても、相手が必要としていることを、何気なく察してくれるやさしさがあった。

ザウォセ家の山羊や牛は彼にまかされていて、放牧に出かけるのが彼の日課だった。放牧についていくと、カリンバの練習はこんなふうにすればいい、と教えてくれた。会話をする間にカリンバを弾いていればいいと、彼はやってみせた。

イリンバを弾きながら話し、相づちを打つ、そして笑う。

「ほら簡単だろ」

レッスンが進んでいく中で、

「歌ってみろ」と言われた。

根気よく歌い出すのを待っていてくれたが、歌えなかった。

子どものころから、大声を出したりしたことのない僕は、誰かがいると恥ずかしくて、自由に歌ったりなど、とてもできなかった。

牛追いで、一時間ぐらい歩いて誰もいない草原まで行ったとき、

「ここなら大丈夫だ、牛と俺しかいない。さあ、遠くに行くからそこに声が届くように歌ってみろ」

と言ってくれた。僕は誰もいないならと、初めて大声を出してみた。

「なんだ！　声が出るじゃないか、それでいいんだ」

どんな声が出ていたかわからないけど、それでいいと言われて、自分の声に自信を持てるようになった。

このころから、少しずつ、自分の可能性というものを解放しはじめたのかもしれない。

彼に習ったもう一つのことが、カリンバの力だ。

「何か物をなくしたら、それが出てくるようにカリンバを弾け、そうしたら必ずなくした物が帰ってくる」

そんな力がこの楽器には隠されていると言う。

もう一つ。「好きな子ができたら、その彼女のそばに行って毎日カリンバを弾き続けろ、そうすると彼女に想いが伝わって、向こうもお前のこと思い続けるようになるぞ」

そう教えてくれた。

チャーリーは、イリンバ（大きいカリンバ）を弾きはじめると、狂った猫のように地面に寝っ転がって、背中を土にこすりつけながら演奏したり、地団駄をふんだり、飛び跳ねたり、まるで地球と会話をしているように音楽の中に入っていく。

イリンバには、箱のサウンドホールの部分にブイブイと呼ばれる、クモの巣の膜が張って

左からタトゥ、チャーリー、カイサ、ザウォセさんの娘タブ

ある、この膜が、スピーカーのような役目をして、振動を増幅させ倍音とともに音色を豊かにする。

　チャーリーは、カリンバを弾きながら、下の穴に口をつけてブイブイを鳴らし、カズーのように吹く奏法も僕に教えてくれた。

　イリンバには、弾かない鍵もたくさんついている。楽器の真ん中についている三〇本ぐらいの鍵は弾かない鍵だ、弾く鍵と同じ音に調律してあって、共鳴して、これも音を（倍音などで）増幅させるためについている。小さいカリンバには、鍵が一六本しかない、イリンバは六〇本以上の鍵で成り立っている。チリンバにもイリンバにも、空き缶の切れ端が鍵にまきつけてあって、キーを弾くとそれが、「ヅ〜」というサワリのような音が出るようになっている。雑音のようにも聴こえるが倍音を響かせるための重要な役割を担って、音に味を加えている。

チューニングは、ペンタトニックという音階で、ドレミソラ#ドという音階だ。と言っても正確にいうと、ピアノのような平均律とは違うので耳で感じて、チューニングしていく。

ほんの少しのズレでも違うらしく、ザウォセさんはペンチで鍵（キー）を上下にずらして、この微妙なチューニングをしていた。

彼の耳はとても正確だった。

ザウォセさんもチャーリーも、いい音楽を奏でてるとき、

「ウターム（スワヒリ語でご馳走の意味）」

と言っていた、少し食べるともっと食べたくなる、甘いお菓子のようなものなのだ。

セッションをしながら「おいしい、おいしい（ターム、ターム）」と連発し、よだれを垂らしながら演奏し続けていたこともあった。

生と死

ある日、バガモヨの奥へ草原を散策に出た。数キロ来た所で、

「なんだアフリカもへっちゃら、へっちゃら、なんでもできる！　僕は無敵！」

と心の中で思った瞬間、ハチが飛んできて僕の耳をさした。

「イッッテテテ」とあわてて走り、追いかけてこない所まで来てやっと立ち止まった。

「ハャ情けないなぁ」と自分で思いながら、こんなはずはないと、またその場所に忍び足でもどってみた。

「なぁんだやっぱり大丈夫じゃないか」と思った瞬間、「ブーン」という音とともに痛みが走った。これはいけないともう一回走って逃げたが、今度はどこまでも追ってくる。追いつかない所までそうとう走った。やっぱり、アフリカはそんなに甘くない。

雨の日の夜になると、羽虫が部屋一杯にやってくることがある。明かりがついているとドアの隙間からでも入ってくるので、蚊屋をして、明かりを消して寝る。部屋中をパタパタという音が一晩中聞こえていた。

朝起きると、廊下や床じゅうに羽虫の死骸が何千と落ちていた。驚くことに、もうその瞬間にはありんこがたかって死骸を運んでいく。その生命連鎖の速さに驚いた。

チャーリーが、恋人を連れて僕の所に来た。

彼女の名前はタトゥといって三の意味だ。両親が死んでしまって、お姉さんのところで世話になっているという。まだ十五歳だ。

僕の部屋に来て、写真を撮ってくれと言う。一枚や二枚ならいいやと思ってカメラを渡したらフィルムがなくなるまで撮られてしまった。

「子どもができたんだ」

チャーリーは言った。チャーリーだってまだ十九歳なのに結婚すると言うのだ。タンザニアでは、奥さんを三人まで持てるので、また次があるとはいえ早すぎると思った。チャーリーには義理の父しかいないので、式は挙げてもらえなかったが、二カ月後結婚し、家に彼女を迎えた。

病気だというチャーリーのおばあさんがバガモヨに少しの間来ていた。チャーリーの部屋でベッドに寝ているおばあさんに、一度だけ会った。顔色が少し悪かった（黒人の顔色は見分けがつきにくい）が、とても病気とは思えず、おしとやかな感じで、若いとさえ感じた。

そのおばあさんも二週間としないうちに死んでしまった。

ここでは、病んだ者は消え去り、次の世代へと引き継いでいく。

本当に夢のように、あまりにも早く時は過ぎていく。

ヤギに、草を食わせるのに、草原に杭を打ってつないでおく。見ると杭から円形状に草が無くなっている。

同じようにつないでいた病気のヤギが、いきなりパタッという音とともに倒れた。見ると、白目をむいて、泡をふいている。チャーリーと二人で急いで家へ連れ込み、その日は、ヤギを食べることになった。

あばれるとケガをするから、足を持って、動けないようにする。

次に、小さな穴を掘る。これは首から出る血をためる穴だ。

そして首の動脈にナイフを入れる。このとき、ヤギがあばれそうになったので、僕は、ヤギの足をおさえながら、

「成仏してくれ、天国は悪い所じゃない」

と心の中で言ったら、それが聞こえたのか、ヤギはピタッとおとなしくなった。

ヤギの首から黒い血が流れ、ヤギは天国へ行ってしまった。

二人でヤギをもったら軽くなっていた。やっぱり魂の重みってあるんだな、と思った。

首から、ハラ、尻にかけて、ナイフを入れ、皮をはぎに入った。

皮は太鼓や何かに使うので、ていねいにはいだ。

見ているだけでも吐きそうになったが、チャーリーが慣れた手つきでやっているのを見ると、自然なことのように思えてきた。

皮をはぐと、病気の部分がもろにわかる。肉があわのように腐っている。

近くの獣医さんが来て、病気の部分を取りのぞいた。日本では病気をした動物の肉は食べないが、アフリカでは、病気の部分以外は食べてしまう。獣医のおじさんも、食べられる肉をおすそわけしてもらってうれしそうに帰っていった。

その後に、みんなで肉を食べるのだが、僕は食べられなかった。みんなは、

「おいしいよ」

と僕に勧めてくれたが、ヤギの臭いが残っていて、とても食べる気になれなかった。

毎日の生活が、そんな生命の一つひとつによって支えられている。

都会で育った僕には、すごく残酷なように思えるが、とても自然なことなのだ。

ゆうわく

あるときアパートの中庭で友だち数人と話をしていると、一人の女の子が入ってきた。

彼女は、僕を名指しして話があると言った。スワヒリ語を教えてくれると言うのだ。

みんなは気をつかって、いつのまにかどこかへ行ってしまった。

彼女は、僕の部屋で、スワヒリ語のイロハをオウム返しに繰り返すように言う。

「ここは鼻（プア）」

「ここは目（マッチョ）」

「ここは耳（マシキオ）」

体の部分を指差しながら、スワヒリ語で説明している。

言われるままにスワヒリ語を繰り返すたびに彼女の体が近づいてくる。

ベッドの上に座ったまま金縛りにあったように僕はどうすることもできなかった。

口を指差しながら「ブス」と言った。「ブス」というのはスワヒリ語でキスのことだ。

僕は知らないふりをした、すると彼女は、あからさまに口を尖らせながら迫ってきた。

突然、アパートの女主人がドアをノックして入ってきた、
カップに入った甘いミルクとウガリのお粥を、僕の手にぎゅっとにぎらせ、さっと出ていった。片手にお粥を持ったまま、言葉が出なかった。

まるで、「あなたにはそんな遊びはまだ早いよ、ミルクを飲んでいなさい」と母親に言われたようだった。

あやうく自分を取り戻して、彼女には帰ってもらった。

一人になって、手に持っていたお粥を飲んだ。

それはとっても甘く、あったかく、そのまま寝てしまった。

何日かして、たまたま道を歩いていたら、その女の子に呼び止められた。

彼女は二歳くらいの子どもを抱えていた。「父親は？」と聞くと、「居酒屋で飲んでいる」と言う。一七歳くらいの女の子なのに夫も子どももいるという。そんな女とわけもわからずに関係を持ってしまったら、大変なことになるところだった。きっとアパートの女主人はそんなことも知っていたのだろう。僕は女主人の素知らぬ気づかいに感謝した。

ひとりぼっち

何カ月も知らない土地、知らない人たちと暮らしていると、たまらなくすべてがわずらわしくなる。僕は、よくひとりぼっちになりたくなった。そうなったときは、わけもなく外に散歩に出かけた。

旅に出る前は、一人になることを恐れていた。

人間は一人ぼっちのさびしさゆえに、人と仲良くするものだと思っていた。

でも実際一番恐いことは、ひとりぼっちは大して恐くないということだった。

別に他人がいなくてもなんとかやっていけるということがわかってしまった。

そうすると、僕はもうだれとも接触しなくても生きていけるんじゃないだろうか。

逆に、そのことが恐かった。

一人に慣れてしまうと、
さびしいという気持ちすら忘れてしまう。

一人の世界に入って、空想と現実が入り混じった中に生きているとき、本来の自分がようやっと顔を出す。それをむしろ心地よく感じる。

バガモヨは、海岸沿いの町だったので、よく海を見に行った。

部屋を出て、しけた顔で通りに出る。

目指すのはただ海の見られる場所だった。

何もすることがないときは、
一日中砂浜に座っていた。

遠くにいる友だちのこと、好きだった娘のこと、くだらないことを考えながら。

誰にも会わず、なるべくひとりぼっちでいたいので、放っておいてもらいたいのだが、人が通りかかると、「フジャンボ！（元気かい？）」と声をかけて

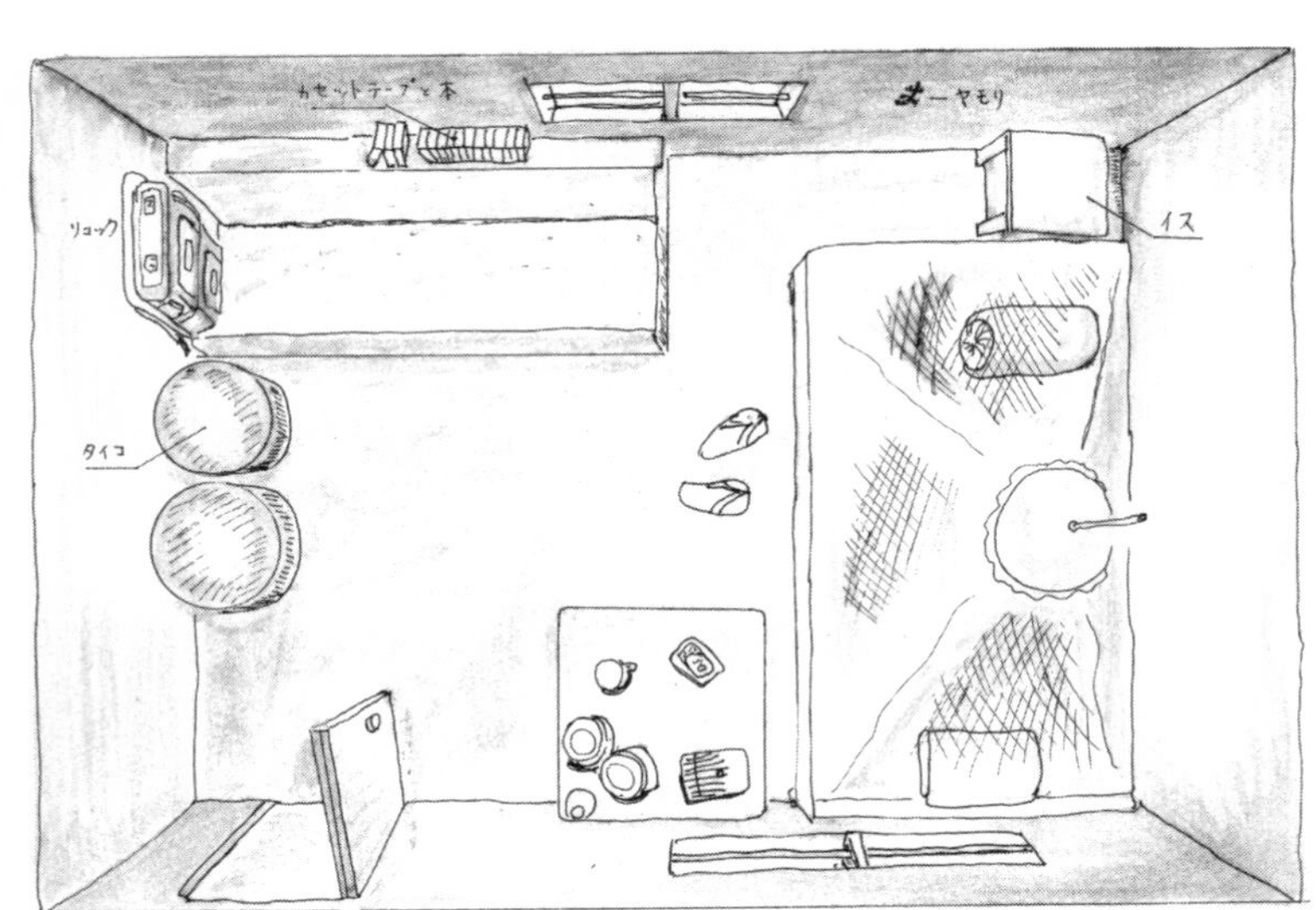

住んでいたゲストハウスの部屋

くる。僕もいつのまにか、「シジャンボ（元気だよ）」と答えている。

あれ、何を考えていたんだっけ。なんで一人でこんなところにいるんだろう。

そう思っているうちにまた違う人が来て、

「フジャンボ！」と声をかけてくる。

「シジャンボ」とまた無意識に答えている。

ちょっと一人にしてくれないかな、と思う反面、まあいいか、と思う自分がいた。

「フジャンボ！（元気ですか？）」

どこの誰かもわからない僕に、
みんなにこやかに挨拶してくる。

「シジャンボ（ハイ元気です）」

何度もそう答えているうちに、落ち込んでいた自分が、だんだんばからしく思えてくる。

そうか、みんな生きているんだな。

ただそれだけのあたり前のことが、ふんわりと僕を包んで、海の波や、遠くの雲を見ていると、ゆっくりとした地球の動きを感じる。

風が吹いて、日がだんだん沈んでいく。

半分眠っているような僕の目の前に、チラチラと白い小さな光が何千個も見える。

あったかな波の音、しずかな何もない時間……。

「フジャンボ！（元気かい？）」とまた、誰かが声をかけてくれる。

「シジャンボ！（もちろん元気だよ）」

夕焼け小僧

道を歩いていると、「ムズング（白人）」と子どもたちがからかってくる。

子どもたちは、白人という者をどう理解しているのだろうか。

「やーいやーい、ムズング（白じーん）」というように、明らかに悪態をついている。

「シオムズング！（白人じゃないよ）」と言うと今度は、

「チーナチーナ！（中国人）」と言ってくる。

「ムジャパニ！（日本人だ！）」と言って、空手のポーズを取ると、ものすごい勢いで駆けて逃げて行く。

アフリカの子どもたちは元気だ。

日本にはもういないんじゃないか、というような子がたくさんいた。

子どもは夕焼けを反映している。

暑い陽の中で一日かけずりまわって遊んで、海岸に長い影をのばして、帰ってゆく彼らを、とても気持ちよく感じた。そのまんま、海に沈んでゆく夕日のようだった。

そんな風に思えるのは、もう自分の中にあんな子どもはいないのだと、なんとなく、さびしく感じるからだろうか？

そこの子どもを見ていると、男女に関係なく好きになってしまう、釘に当たっては、飛び回るパチンコ玉のように僕の周りで遊んでいる彼らは、僕の胸の穴に入り込んで、フィーバーしていた。今の日本でも田舎に行けば、こんな夕焼け小僧たちに会えるのだろうか。

男の子たちは車が大好きで、古くなったサンダルと針金で車のおもちゃを作っては、大はしゃぎで遊んでいた。

よく遊びもするが、よく働いた。大人に使われても、文句一つ言わず働く。

十歳くらいの子は、弟や妹の面倒をみながら、さらに赤ちゃんを背負って遊んでいた。

女の子はご飯も作るし、そうじ、洗濯、なんでもしていた。

男の子も水くみや牛追いなどを手伝わされていた。

僕も少しやってみたが、かなりの重労働だ。

そのかわりといってはなんだが、父親は、たいてい、家の前の通り沿いに腰掛けて、のんびりとお茶やお酒を飲んでいるケースが多い。
草原の中の大きいマンゴーの木の下に、いつも酒ばかり飲んでいる家族がいた。僕が覚えているかぎり、一回も顔の赤くない彼らを見たことがない。そこの家族全員、母親も、息子も飲んだくれていた。五、六人いる子どもたちは、その辺で遊んでいるだけだった。

ヤシの木

そこの家ではヤシ酒を売っていた、ヤシの木の実のなる茎にコップを付けておいて、取った汁を発酵させれば、それででき上がりなのだ。

「寝ていてもできる酒だ」と自慢げに話していた。

誰がこの家を養っているのかと言えば、このヤシの木なのではないか、と思ってしまう。

バナナ

一人で砂浜に散歩に出かけた。

帰り道、見ず知らずのアフリカ人に日本語で声をかけられた。

彼は日本の援助で漁業をやっていて、

「日本には感謝している。日本と日本人のことが好きだ」と言っていた。

暗くなってきていたから少し恐かったけど、握手をすると、

「バナナは好きか?」と聞いて、すぐにバナナを買ってくれた。

ケニアで騙されたことを思い出して、僕はしきりに何か裏があるのではないかと考えてしまい、大きな体をした立派な男が、あまりにやさしいので、よけい身を硬くし、冷たい口調になった。

それでも彼は家に来いと言うのでついていくと、狭いアパートの一室にランプの灯りだけがついていて、子ども二人と奥さんが楽しそうにしていた。

顔がよく見えなかったが、奥さんが、

「カリブ(ようこそ)」

と言って、やさしく挨拶してくれた。僕は急に恥ずかしくなって、彼がしきりにめしを食べていけと勧めたが、また来るよと断ってしまった。

本当は、日本人の僕が、ノホホンと旅している、そのことが居たたまれなくなってしまったからだ。

それでもなんだかうれしくて、帰り道ずっと笑顔がおさまらなかった。

木の下の男

僕が好きだった女の子、Ｊの家の前の木の下にいつも座っている男がいた。彼が、頭の弱い人なのだということはみんなよくわかっていた。彼は誰がそこに来ようが、いつも同じように、少しほほえみながらそこに座っていた。

僕がＪに会いたくて、いつまでもうろうろしていても、少し微笑んでいるだけだった。ときどきＪにカリンバを弾いて聴かせたりしているときも、ただじっと座っていた。


Ｊを呼ぶときは、Ｊの家の前の小さな売店の店番の女に、

「Ｊはいるか？」と聞いた。

たいてい「いない」と言われ、僕はさびしく帰る。

あまりにいつも「いない」と言うので、思い切って、Ｊのアパートに入って見ると、Ｊは中でご飯を食べていた。

外に出て、「なんで嘘をつくんだ」と店番の女に怒った。

そんなときも木の下に座っている男は、少し笑いながら

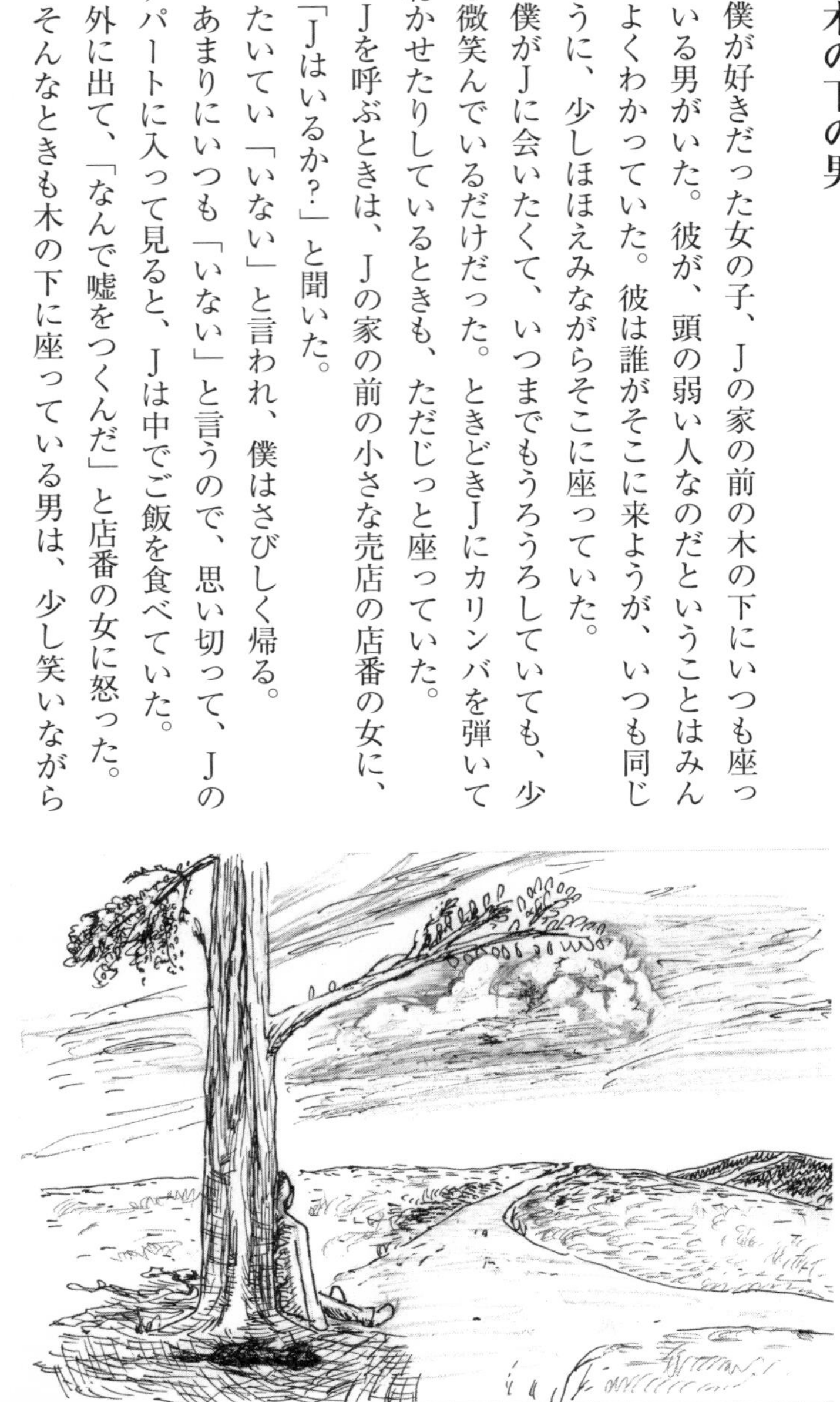

こっちを見ているだけだった。

僕は彼がそこにいるだけで、なぜだか気持ちが落ち着いた。彼は、Ｊからも、やさしくされていた。何もしないのに、Ｊからやさしくしてもらえるなんて、少し羨ましく思った。あれこれ手を尽くしても、僕はなかなかＪに振り向いてもらえなかった。

あるとき、店番女が、子どもをかかえていた。

「その子は誰の子？」と聞くと、

「Ｊの子よ」とうわ目づかいで言った。

「うそだ」と僕。「本当よ」と少し怒って彼女は言った。

「Ｊは、結婚しているの？」と聞くと、

「いいえ」と答えた。

Ｊはそのとき十九歳で、とても子どもがいるような感じではなかった。僕はショックで、そのままその場から立ち去った。Ｊがそんな女だったなんて……。

ある夜、フライドポテトを買いに出ると、Ｊの家の前で店番女が、また子どもを抱いていた。ポテト屋の兄さんが、あの子は店番女の子どもだと教えてくれた。

なんて女だ！　そのとき、僕は怒って、責めようとしたが、やめた。

彼女はたぶん他の男にだまされて、十六歳で子持ちになってしまったのだろう。そのことを考えると、今まで僕に冷たかった理由もわかるような気がした。

そんなときも木の下に座ってる男は何も言わず、しずかに微笑んでいるだけだった。

彼のような人と一緒にいると落ち着く。そのまんま生きているだけ。

彼に愛着を感じるのは、僕の中に彼と近いところがあるからだろうか。

アフリカはめんどくさい

僕のゲストハウスの隣のアパートに、若い男と女が住んでいた。

毎日玄関先に出ては何かを話しているので、その前を通るとき、かならず挨拶してきた。

ぺちゃくちゃ、それこそ一日中話をしていて、ゲハハと笑い転げたり、にぎやかだった。

ある日、カリンバを習いにチャーリーのところにいくとき、「ジャンボ」と声をかけると、見たことのない娘がいるのに気がつき、「かわいいな」と思った。そのまま通り過ぎようとすると、「ちょっとこっちへこい」と手招きして、

「うちのいとこが好きか?」と聞く。

ちらっと見ただけなのに好きも嫌いもあるものかと思ったが、一瞬で僕の気配を察知する動物的感覚には恐れいる。

それからは、通るたびに、「うちのいとこが好きか?」と聞く。僕はいつも、「知らない」と言ってやり過ごすが、そのうち彼は、「結婚したいか?」とか、「日本へ連れて行け」と言いはじめた。からかい半分、挨拶代わりだろうと思ったが、冗談でも、「日本に連れて行く」と言ったら、本当にそうなってしまいそうで、うっかり言えない。

毎日その話を繰り返しているので、家の前の肉屋さんでも噂になっていて、ほとんど遊びのように、「お前一回寝てみろ」とか、「日本へ連れて行け」とか、言うようになった。

あんまりそれが続くもんだから、とうとう彼女に、

「うちに遊びに来いよ」

と言ってしまった。

すると、彼女は遊びに来ないばかりか、それっきりピタリと誰も何も言わなくなった。

僕がいつでもマジに受け止める滑稽さが面白かったのだろう。ただふざけているだけだったんだと良くわかった。

彼女は、それからチャーリーの兄さんと、仲良くなっていた。

何日かして、彼女の母親が亡くなったと言って、その娘はバガモヨからいなくなった。

彼らの人生はそんなテンポで進んでいた。

ウビ・ザウォセおじいさん（118歳まで生きた）

おじいさん

スワヒリ語で〝ムゼー〟と呼ばれているのはおじいさんのことで、顔にしわを蓄え、いったい何歳なんだか見当もつかない。

バガモヨに、日がな一日散歩しているおじいさんがいた。

なぜだかオレンジ色のラジオ（単一電池が二本むき出しでつないである）を、大きな音で鳴らしながら、杖をついて歩いていた。

他の村に行っても、そういうスタイルのおじいさんがあちらこちらにいた。

お金を持っていそうな人のところに行っては、チャイ代をたかっている。みんな年寄りにはさからえない。

こういったおじいさんは、一様におもしろい。遠い昔の話をしていたかと思うと、いきなり両手を上げて、

「バー!」

とでっかい声を出して相手を驚かすようなジェスチャーをしたり、そのしゃべり方が滑稽で、いつ聞いてもおもしろかった。どこかこの世をもう超越してしまっていて、

「いつ死んでも大丈夫!」

というオーラを出していた。

彼らが好きなのは、純正の煙草。一服するだけで、ものすごく喉が痛くなり、吐き気のするような強いものだが、それを深々と吸うのが一日の大きな楽しみの一つだ。

いい歳なのに、女の人がいると、いつでもどこでもからかったり、ちょっかいを出す。生まれたばかりの赤ちゃんにまで、

「オレと結婚するか?」と聞いたりしていた。

おじいさんには、みんなが、

「シカモ(丁寧語のこんにちは)」と言って挨拶する。

おじいさんは「マラハバ(こんちは)」と返す。

長老のような長生きした人には、みんな一目置いて話すので、おじいさんも「何言って

も大丈夫」という安心感があるのだろう。

いつも太鼓が鳴っている

アパートの部屋で一人、ボンゴで太鼓の練習をしている。

子どもたちが外から「コイケ、コイケ」と僕を呼ぶ。

まるでドアをあけて僕たちに見せろ、と言っているようだ。

窓を開けて「何?」と言うと、走って逃げて行ってしまう。

今度は庭に出て練習していると、
ガキンチョたちが自分からやってきて、
くねくねとめちゃくちゃな踊りを踊って、
笑いながら帰っていった。

テレビも映画もないこの村では、そんな遊びが、楽しくてしょうがないのだろう。

道を歩いていると、子どもたちが太鼓を叩いて遊んでいるのによく出会う。

空き缶に、ビニール布を紐で巻いて張っただけの太鼓を作り、そのへんにある木の枝をバチにして叩いている。

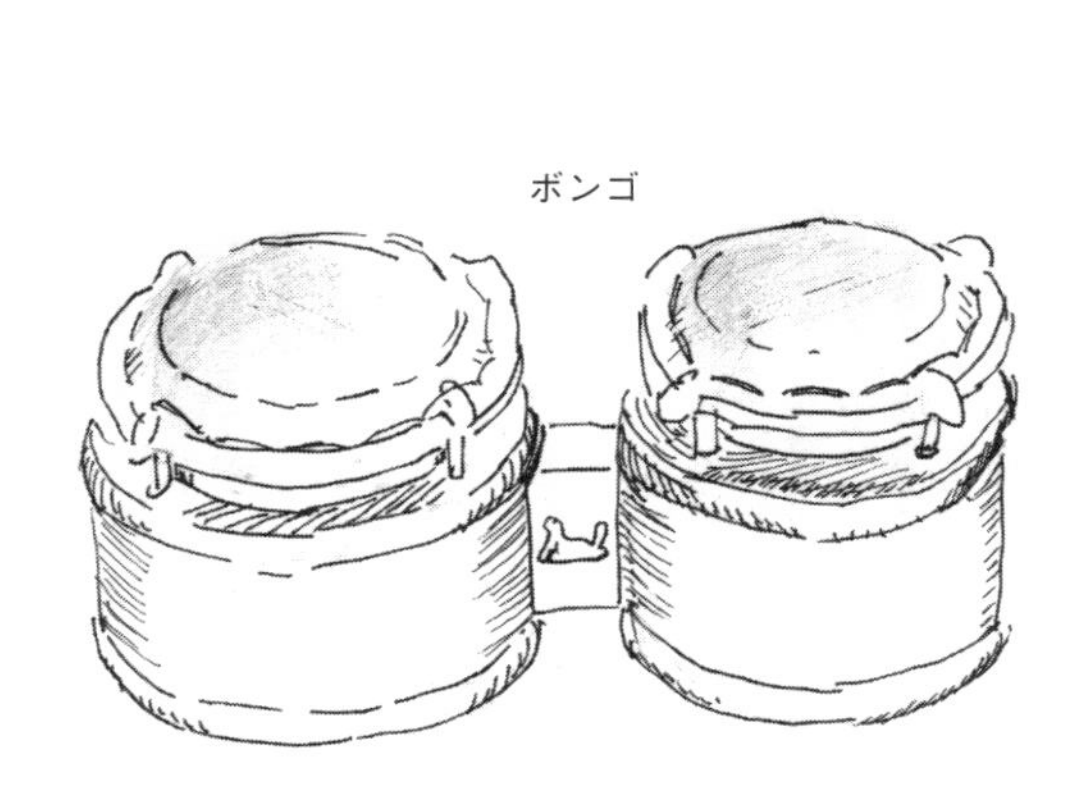
ボンゴ

かならずその前で誰かがダンスをしている。

リズムが整っているわけではないのだが、やはり血なのか、めちゃくちゃなようで、その中に説得力のある音の粒が混ざっている、面白い音楽。そのまんま、むき出しの自然な感情を、体全体で表わしている。気がつくと、またどこからともなく太鼓の音が聴こえてくる。自然に、なんの不思議もなく、鳴っている。誰かがンゴマをはじめたようだ。

大人たちの遊び「ンゴマ」とは、太鼓や踊りのことで、自然発生的にはじまるダンスパーティーだ。

バガモヨでは週に三、四回開かれていた。

子ども時代のめちゃくちゃ太鼓あそびが、そのまま成熟したものだった。おんぼろの太鼓を、焚き火の周りで乾かしながら、バチや手で打ち鳴らしている。

乾かすのは、太鼓のチューニングのためだ。

焚き火に当てると太鼓の皮が乾き、音が上がっていく。

乾かしても、三〇分くらいで音が下がってしまうので、焚き火のまわりにいくつも太鼓を置いて、高い音が出るようになると、とっかえひっかえ叩いていく。

たまに皮についた毛が、焦げる匂いがしてくる。

晴れた日なら、日向に出して乾かす。

空き缶に豆を入れて作ったシェーカーと中低音の太鼓でリズムを作る。

甲高い太鼓で、自由に、引っかき回すようなフレーズが入る。

三人ぐらいで奏でる太鼓の音が噛み合っていて、
波や風の音みたいに自然だった。

そのまわりで、大勢が輪になって踊っている。

みんな歌いながら、グルグルと、大きなマンゴーの木の周りを回っている。

最初は十人ぐらいで、どんどん多くなって、百人くらいまでふくれあがった。

向かい合った小さなサークルの太鼓隊は、黙々と真剣な面持ちで、演奏している。

一体になったその塊は、「ンゴマ」という妖怪みたいだ。

ンゴマ（太鼓）は、単に「楽しむ」だけでなく、重要なコミュニケーションの場所なのだ
と思う。叩いて、踊っていることで、言葉では通じない対話を交わしているようだ。

誰かが元気を失ったとき、結婚してうれしいとき、死んだとき、
悲しみやうれしさを、この場で分かち合う。

悲しみやうれしさを対話（体話）するために、太鼓を叩く。

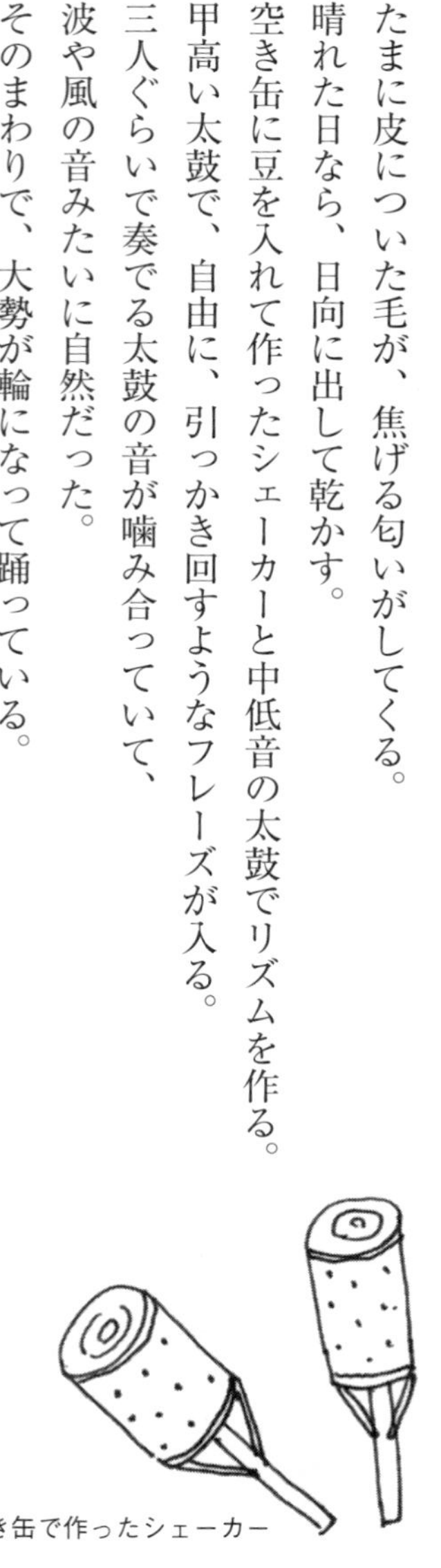
空き缶で作ったシェーカー

そしてそれが確かにそこにあったのだということをしっかり記憶し、心にきざんでゆく。太鼓で嘘はつけない。

太鼓のリズムは、いつもその人そのもので、内側で考えたことが、そのまま音として外に出て行くし、外側の世界も、叩き手の中に入り、音楽に影響を与える。

その素晴らしい太鼓の音楽を、僕は録音したいなと思った。

「録って帰ってみんなに聴かせたい」

それは、あまりにもよく、あまりにも純粋な音楽。それはお金のためでもなく、見せるため聴かせるためでもない。おばさん方のおしゃべりや、子どもたちの鬼ごっこのように、ただ自分たちが遊び、楽しむためにやっている。こんな演奏、レコードでは聴くことができない。

僕は録音しようとカセットレコーダーを手に持ちながら、ふと疑問を抱いた。

「録音していいものなのかな？」

録音して聴きたいという自分が「浅ましい人間」に思えて、感覚的に録る気になれなくなってしまった。

そもそも、録音するってなんだろう？

環境や背景とは関係なく、音だけ切り取って、材料にしてしまう。

生活と切り離された音に、意味はあるのか？

聴く側が気持ちよければそれでいいとして、コピーされて、売られる録音物。

音楽はいつからお金儲けに使われるようになったのだろう？

レコードを聴くことも、録音することも、生きている音楽が演奏されている場面（ライブ）には、かなわないと思ってしまった。

音楽ってなんだろう、自然発生的な音楽の背景に、コミュニティーがあり、人々のつながりの中で奏でられている。

愛や、喜び悲しみがあるところに、歌があり、太鼓があり、音楽（ンゴマ）がある。

ひとりで練習している自分がたまにさびしい存在に思えてくる。

どうしてみんなと叩きに行かないのだろう。

どこかで鳴っている太鼓の音が、まるで外で僕を呼ぶ子どもの声のように、

「外に出て叩きなよー」

と言っているみたいに聴こえる。

夜中にどこか遠くでンゴマの音が聴こえる、またやってるなーと思いながら寝てしまって、
朝起きても、まだ太鼓が鳴っていた。

「よし見に行ってみよう」

アパートから出て、太鼓の鳴る方、踊っているところに、少し歩き出してみた。

もう、みんな酔っ払いの果てみたいな状態で、とろけながら完全にリラックスして踊っているのが見える。

僕が近づいていくと、こっちのことに気がついたのか、だんだん太鼓のリズムがゆっくりになっていく。

一歩近づくごとにゆっくりになっていき、このまま近くへ行ったら、きっと止めてしまいそうだったので、そのまま引き返した。

するとまた元のリズムに戻っていった。

本当にリラックスした気持ちいい太鼓は、録音しようとしても難しいものだった。

まったくの他人が近づけない、ごく親密な間柄だけで演奏される音楽が、本物の音楽なのかもしれない。

しゅんくんと並木くん

いつもどおり授業を終え、田中さんといつものところにビールを飲みに行くと、宏子さんが日本人の男の子と話していた。

見たとたん、同じ飛行機で来て、ナイロビ空港で会ったことがあるとわかった。トランジットで二、三分話しただけだったが、向こうも僕を覚えていてくれた。

髭を生やしていたので、年上なのかと思ったが、同い年だった。

ちょっと風変わりで、ヒッピーっぽく、仲良くなれるか心配だったが、話しているうちに、見かけより気さくな人だということがわかった。

彼はしゅんくん。ザンジバル島で、スワヒリ語を二カ月勉強してきたと言う。トランペットを持っているというので、次の日、学校で授業が終わってからセッションをした。

僕は、いつものように、めちゃくちゃに叩きはじめ、しゅんくんも僕に問いかけるように、奇妙な音を出した。

二時間ぐらい続いたか、僕は力尽きてやめた。手の皮がむけてヒリヒリした。

山の中でバケツを叩いていた頃を思い出した。

やっと同世代の人と知り合って、セッションできるというだけで僕は満足していた。

しゅんくんは昼ごはんを食べたら、

「また来るね」

と言い残してダルエスサラームに帰ってしまった。

どこにも属することなく、旅する彼を見ていると、自由だなぁと思った。

またいつものように、学校のヤシの葉葺きの練習小屋で、太鼓のレッスンを受けていると、ラスタヘアーの日本人らしき男が、遠くからこっちを見ていた。

僕は、ナイロビで、ラスタに嫌な目にあったことがあるので、特に話しかけもせず練習を続けていると、すぐそばまで入ってきた。あんまりじっと見ているので、緊張してしまって、レッスンに身が入らなくなってしまった。

ラスタヘアーを長く伸ばした、一見怪しいが、じつは真面目な青年、彼は並木くん。

大学を卒業して、一年間インドとアフリカを旅していると言う。

バガモヨが気に入ったらしく、しばらく滞在すると、僕と同じアパートに部屋を借りた。

同世代の二人に会ったころ、バガモヨの学生生活も一段落した。

旅人の彼らに会って触発され、タンザニアの奥地を僕も旅してみたくなった。

第六章　ポレポレ旅行

ノンストップバス

宏子さんと田中さんと三人、ダルエスサラームの日本人パーティーに演奏で呼ばれた。おんぼろバスでバガモヨからダルエスまで、二時間半のでこぼこ道を走ってゆく。その日のバスは、特におんぼろだった。三〇分くらいで一回パンク。一時間くらい立ち往生した。太鼓を三つも持ってきたので、他の車へ乗り換えもできず、パンクが直るのを待って出発。一〇分くらいでまた故障。このバスはもうダメかと思ったが、二〇分後に出発。坂を猛スピード降りてゆく。「ああ、大丈夫そうじゃないか」と思っていると、坂を降り切り、谷にかかっている橋をわたってまた坂を登りはじめたところで乗客がザワついている。

「あれ？　どうしたんだ？」

宏子さんも田中さんも、完全に眠っている。バスはどんどんスピードダウンして、登り坂の途中でとまってしまった。乗客のザワめきも頂点に達し、ドアから飛び降りる人が出た。

「ブレーキがこわれたんだ！」

僕は、さっきから認めたくなかった不安を認めざるを得なくなった。

「わぁー、ヒロコさん！」

「う、うーん、どうしたの？」

説明する暇もない。バスはもうどんどん後ろ向きに加速して行っている。

坂の下は、断崖絶壁である。

僕の席は一番後ろの真ん中。通路には客がいっぱい立っている。

「このまんまじゃつぶされる」

とっさに右側に寄ろうとした。「終わるのか！」

ズシン、ズバーン、という音がして、バスがゆれ、止まった。どうやら僕は生きていた。

砂けむりで周囲は何も見えない。田中さんが、

「何？　どうしたの？」と、寝ぼけまなこでキョトンとしていた。

まだふるえが止まらない足で、ようやっと外に出た。

バスは橋を渡らずに草原の方へハンドルを切って、大きなバオバブの木の枝にちょうどキャッチされるような形になって止まっていた。あと一メートルでも違っていたら、バオバブの幹に当たるか、谷底に落ちて死んでいただろう。

「ドライバーはとてもいい仕事をした」

と、誰かが言っているのが聞こえた。確かにその通りだ。

アフリカではよく横たわっているバスを道の途中で見かける。

宏子さんは、三つの太鼓をながめながら、

「きっと太鼓の神様が守ってくれたんだよ」と言った。

ダルエスに住んでいる日本人は、商社マン、建設業の人、ＪＩＣＡ（海外協力隊）、学校の先生、いろいろだ。アフリカが好きで来てる人もいれば、仕事で仕方なしに来てる人もいる。こんなに多種多様の日本人が、ダルエスに住んでいるという共通点だけで集まって、お祭りをしようなんて、いいなと思った。

昔の日本のお祭りみたいなお祭の姿が、こんなところに生きていた。

僕らも三人で、力いっぱい太鼓と踊りを披露したら、みんなとても喜んでくれた。

最後に、美空ひばりの「お祭りマンボ」を、建設業の人たち、商社マンのお父さんたちが本気で「そーれそれそれお祭りだ！」と、ワッショイワッショイやった。

日本人の男たちがかっこよかった。

一人ひとりが気持ちを込めて「生きて行こう！」とお互いを励まし合うお祭りって、こんなにいいものかと、日本ていいなと、初めて思った。

カレーライス

タンザニアに住む根本さんの家には、何回もお邪魔した。

日本で楠原彰さんというアフリカ研究者に、ダルエスに住んでいる日本人として紹介してもらったのだ。「いつでも来いよ」と言ってくれたので、一人でダルエスサラームに行くときは、たいてい根本さんの家に二、三泊した。

根本さんの家は広く、タンザニア人のお手伝いさんも三人いて、庭にバナナの木が二本もあった。タンザニアでは水のシャワーが普通だから、根本さんの家のゲストルームでお風呂をいただくのは贅沢なことだったし、夕飯にカレーライスをごちそうになるのが根本さんの家に泊まるもっぱらの理由だったかもしれない。遠慮してカレーを一杯しか食べなかったら、「もっと食べろよ」と厳しい口調で言われ、もう一杯頂戴した。

根本さんはダルエスの店や、アフリカの必要な事柄だけをいろいろ教えてくれた。広いダイニングには、本棚があって、アフリカ関係の本が置いてあった。マコンデの彫刻や、ザウォセさんのイリンバが壁にかかった居間で、のんびりした日本人ばなれの口調で話をした。

「じゃ、僕らはパーティーがあるから」そう言って、僕を置いたまま出て行ってしまうこともあった。僕は楽器をいじったりしているうちに、緊張がほぐれてすぐに眠ってしまった。

根本家に、日本人のお客が来た日があった。夕方くらいからＪＩＣＡの人や、ダルエスに住んでいる日本人が三人くらい来て、夕飯はカレーライスだった。

根本家のカレーが特別のカレーというわけではないのだが、久しぶりに食べる日本食はとても美味しく感じた。

日本の普通の人とは何を話していいのかわからない。

ずっと黙って聞いていたが、それも変だ。

何か言おうと頑張ってはみたけど、言う言葉はまとはずれ。

青くなったり赤くなったり、通じないまま話は進んでいった。

自分の心とはちぐはぐのことを話してしまう。

話がうまくできなかった。

今まで、なるべく「日本人社会」の人たちと接しないようにして来た、ここに来て付き合わざるをえないことになって、萎縮してしまう自分がいた。

「どこに行っても、日本人であるということは変わらず、その中で生きて行かなくてはならないんだよ」と根本さんに言われてる気がした。

根本家にいる三人のお手伝いさんは、一人は僕より年下の男の学生、一人は、若い十六、七の女の子、もう一人は子持ちのおばさんだった。

根本さんたちが出かけたあと、僕がテレビを見ていると、赤ん坊の男の子がテレビの前に立つ。テレビが見えなくなって、じゃまだなと思うのだが、じーっと僕のことを見て、「あー」と言いながら僕を指差す。「テレビなんか見ずに、オレを見てよ」と言っているような気がして、知らぬ間にテレビに夢中になっている自分にハッと気づかされる。

その子が根本さんちにあった太鼓を運んで来て、「ピガ、ピガンゴマ（叩け、太鼓叩け）」とせがむ。

その子には、僕が太鼓を叩いているときだけ「生きている」と感じたのかもしれなかった。お手伝いさんたちも、根本さんたちが出かけてしまうと、ようやく話しはじめた。

みんなおとなしい人たちで、さらに僕があんまりのんびりし

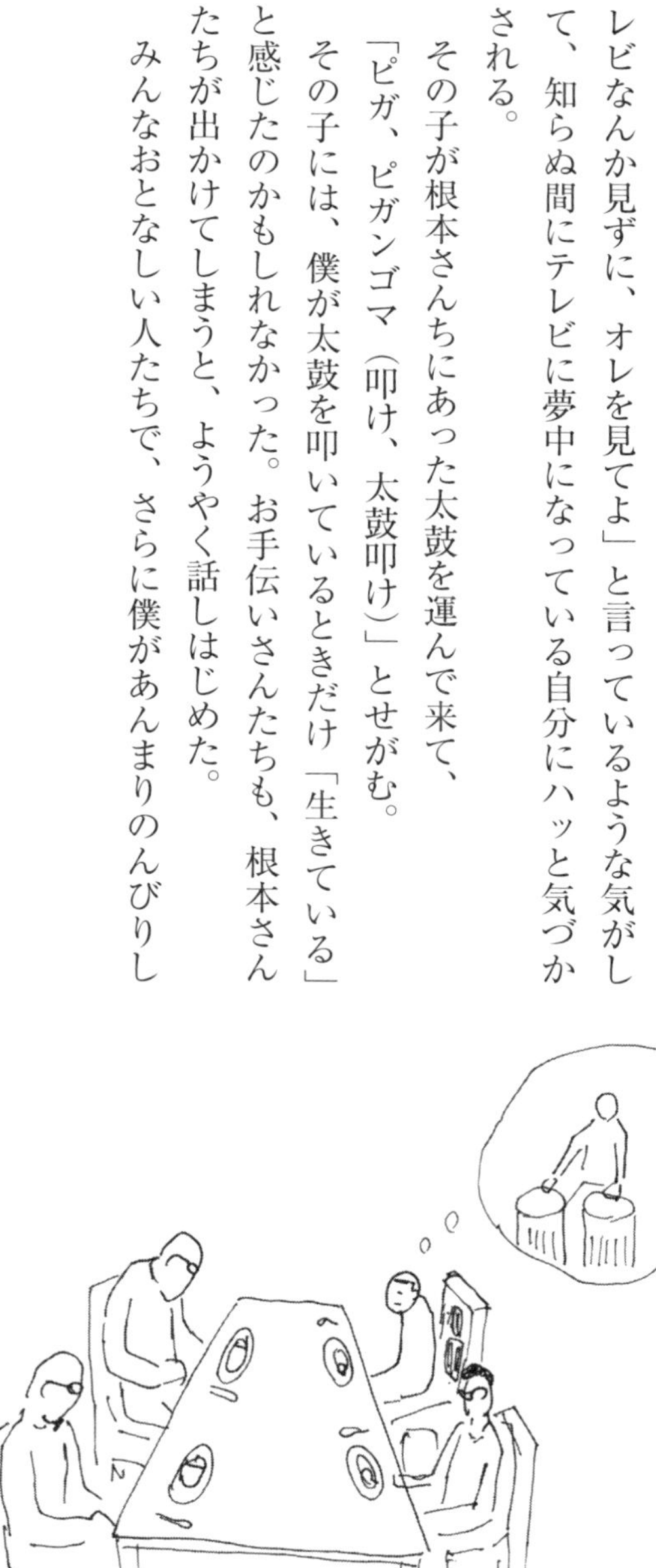

ているもんで拍子抜けしたのか、みんな僕の目をまっすぐに見つめ、落ち着いた感じでていねいに話す。

それがだんだん「プッ」と吹き出したり、ちょっとふざけたりするようになった。

食事が終わって、ソファーでくつろいでいると、彼らがかわりばんこにやってきては、少しずつ話をして「おやすみ」と言って寝てしまった。

いつも低い姿勢をとってそんな風に接してもらって、なんだか申し訳ない気持ちと、僕には分からない彼らの領分を感ぜずにはいられなかった。

中でも若い学生の男の子は、同じ世代だったこともあって、親しくなれる気がしたけど彼らとの間に「立場の違い」という目に見えないへだたりがあって、それが何かわからずに、蚊屋に入って眠るとき、この近いようで遠い距離感を不思議に思った。

カリンバの故郷

タンザニアでカリンバ（親指ピアノ）を演奏するのは、首都ドドマに住むゴゴ人だけだ。ドドマは、ザウォセさんの故郷。カリンバを勉強するため、チャーリーにドドマへ連れて行ってもらうことにした。

朝暗いうちに、バガモヨのゲストハウスを出て、まだ寝ていたチャーリーを、どうにか起こし、鳥たちがピーチクさえずっている空を見上げながら、薄暗い中をバス停に向かった。バガモヨ五時三十分の始発バスに乗り、ダルエスサラームで、ドドマ行きのバスを探した。朝の慌ただしい人混みの中で、十時発のバスチケットを買い、それまでの間、朝食を食べることにした。

近くの食堂で、チャイを飲んでいると、チャーリーの知り合いがたまたま通りかかり、一時間ぐらい話に夢中になっていた。のんびり屋の僕も彼らの長話にはかなわない。早くドドマに行ってカリンバを習いたい、それだけだった。

チャーリーは、ドドマの実家に行くということなので、カンガ（巻物）や靴をお土産に買うのにてんてこまいだった。とうとう買いすぎて、お金が足りなくなったので、僕が出した。アフリカの友だちにお金を渡すというのはとても気を使う。いろいろやってもらっていることへの感謝の気持ちもあるので、少しはお礼にお金を渡すのもアリなのだが、逆にあてにされるのもよくない。バランスを取るのがむずかしい。

ようやくバスの出発時間になって、土産物や食用油をたくさん積んだオンボロバスは、ダルエスから出発した。

チャーリーは、バスの中でサングラスをかけ、テープレコーダーを大きな音でひたすら流しはじめた。テープはザウォセさんのイリンバ演奏だった。

周りの乗客が「それはなんだ」と聞く。

チャーリーは、ここぞとばかりに、これは自分の義父の演奏で、自分も音楽家だと話す。

周り中がそのことを聞いて、一通り話し終わると、チャーリーは寝入ってしまった。

バスに揺られながら、ノートに落書きしていると、バスの中央の荷物の上に座っていた女の子が、「それは何？」と聞く。一生懸命説明しようとしたが、とうとう彼女には伝わらなかった。本当は、何か聞きたかったわけでなく、話してみたかっただけみたいだった。

言葉が通じないのもなかなかロマンチックなものだ。

日暮れ過ぎまでずっと同じバスで何時間も隣に乗っていると、何か、一緒に旅をしているような気持ちになったりした。

夜の九時くらいにようやく目的地に着いた。真っ暗なのにチャーリーは自分の故郷の近くだとわかったらしく、「ここで降ろしてくれ」と言ってバスを止めた。

ドドマに着く手前の、まったく何もない平原の真ん中だった。

チャーリーは真っ暗闇の中を、「こっちだ」と言って僕の手を引っ張って歩いた。

電燈もなく、アスファルトの道もなく、何十キロか先に、ポツンポツンと小さな明かりが見えるだけだった。

ドドマにてカリンバを弾いている

電気のある家で生まれ、それ以外の生活をほとんど知らない僕には初めての本当のまっ暗闇だった。でも、僕の手を引いていくチャーリーの手はあたたかだった。

次の朝、チャーリーの実家で目が覚めた。土の家の小さな穴のような窓から光が差し込んでいた。土の壁が煮炊きの煙ですすけ、焚き火でいぶされた臭いが充満していた。こういう家に寝ていると、一生このまんま寝ていたいと思うほど、懐かしくあったかい感覚を覚える。

家から光の中へ出て行くと、僕のためのご飯が用意されていて、寝坊したのにニコニコして、ウガリを差し出してくれた。

お土産すら持って行かなかったのに、申し訳ない気持ちになって、畑仕事を手伝ったりした。

午後に、チャーリーと散歩に出た。

三分も歩くと、知っている人に会い、立ち話をはじめる。ごく普通の挨拶から始まって、結構長い間話している。チャーリーは、「一日の半分は挨拶で終わっちゃうんだよ」と言っていた。村中歩いては、どこの家に行っても、一時間くらい無駄話をして、チャイなどをご馳走になり、また次の家に行く、一日中そんなことをしていて日が暮れてしまうのだ。

ドドマではドドマ流の挨拶の仕方があった。フレーズが朝・昼・夜と決まっていて、「こんにちは」「子どもは元気ですか？」「お姉さんは元気ですか？」

最後に「ご飯は食べましたか？」と聞き、「食べました」と答える。

ご飯を食べてなかったとしても、「食べました」と答えるのが礼儀なのだそうだ。

五往復くらいの挨拶のやりとりを覚えれば、誰に会っても同じようにすればいい。

その後に「エー」と言ってお互いに頷いてから、話がはじまる。

さんざん挨拶して回って、最後にザウォセさんの長男のジュリアスとその奥さんとでお酒を飲みに行った。

ここのお酒は、トウモロコシやバナナやアマランサスなどの穀物からできていて、甘酸っぱいけどおいしい。じゅんぐりに器を回され、少しずつ飲んでいくうちに、いつの間にか赤くなって酔っ払っていた。

この辺りによくある、土でできた、草葺のような家でおばさんが、そんなお酒を出しているというだけの居酒屋さんだった。

ドドマの田舎は、主にトウモロコシを作っている農村地帯で、のどかな普通の田舎の風景だった。楽器には、ごくたまにしか遭遇しなかった。

村のお祭りみたいなものがあって、イリンバを弾いている四、五人の男の人が、肩に羽のような衣装（サルの背中の毛）をつけて、パタパタと羽ばたき、踊りながら、村を練り歩いていた。他にシェーカーや、二本弦ゼゼもあり、足には鈴をつけていた。女性が独特のポリフォニーの歌を輪唱して、マサイのような踊りも踊る。

ゼゼというのは、胡弓のような弦楽器である。丸い直径一〇センチくらいのひょうたんに、皮を貼り、四〇センチくらいの棒を刺して、そこに鉄線を張って皮の上のコマが共鳴するようになっている弦楽器だ。

棒の上方に弦を巻く棒があって、それでチューニングする。

もともと一弦だったが、二、三、四本とだんだん増えていったという。

ゼゼの弓は、植物の茎を棒に張り、それに松ヤニを塗ってバイオリン

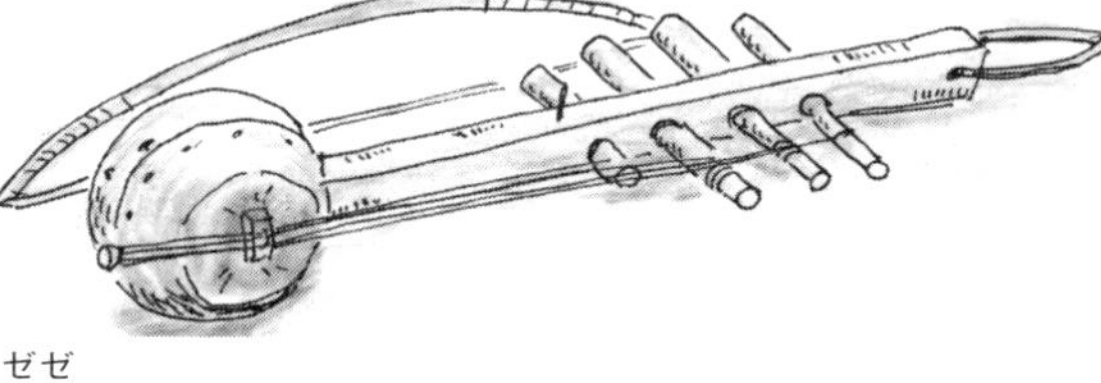

ゼゼ

のように弦をこする。

昔は、ただの細い棒に松ヤニを塗ったものでこすっていたらしい。

楽器を横にして、ひょうたんの部分を胸の下あたりに当てて奏でる。

バイオリンやビオラは顎で挟んで固定するが、昔はゼゼと同じように胸あたりに当てて演奏したらしい。

ザウォセさんはもともとゼゼの名人だった。大きなひょうたんに一〇本弦を張った大きいゼゼ、イゼゼ（大きいとイがつく）を開発した。それも彼が有名になった要因の一つだ。

イゼゼは、一メートル以上もある。爪弾いて演奏する。西アフリカのコラという楽器とよく似ている、コラの弦はナイロンだが、ゼゼは鉄弦である。

イリンバの音は、遠くから聞くと、シンセサイザーのようなボワーっとした音で、空気全体を震わせる。

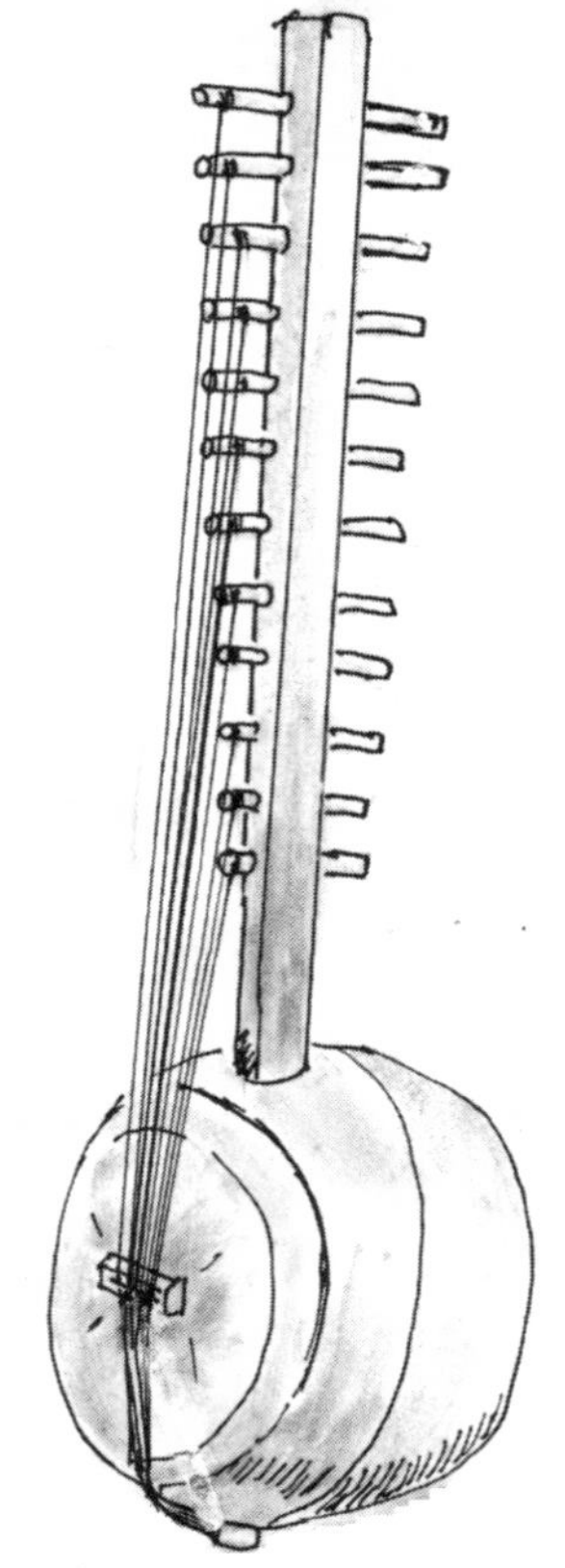
イゼゼ

ゴゴには、女性が叩く太鼓があり、とても軽い砂時計のような形をした木の筒に、ヤギの皮が貼ってあった。女の人はこれを股に挟んで、肩に羽をつけて踊りながら叩くのだ。この太鼓をムヘメと呼んだ。

このお祭りのパレードでも、ムヘメを片手に持って叩いていた。

皮は、日に当てるか、火に当てないと、ボワボワして、ほとんど音が出ない張りのない太鼓だが、低音がよく出る作りになっている。

アフリカでは、太鼓はだいたい男が叩くことが多いが、「ゴゴ」の人では珍しく女の人が太鼓を叩く。

話し声＝ドラミング

チャーリーとはそこで一度お別れして、さらにドドマの北東の奥地にバスで向かって、ソンガンベレと呼ばれる田舎へ行った。ザウォセさんの弟さん、ルーカスの家があるところだ。

タンザニアでは、このドドマに住む「ゴゴ」の人しか親指ピアノを使わない。

ここは観光地ではないので、日本人など一人もいない。さらにみんな部族語（ゴゴ語）で話しているので、何もわからない。そしてひっきりなしに人が訪れてくるし、紹介もされる。

最初、スワヒリ語すら使えないことでパニックになった。あまりにも何もわからないので、自分なりに理解するために人の話を太鼓にたとえて聴くようになってきた。

たとえば、「こんにちは」という誰でもいう言葉でも、太鼓のフレーズだと、「タタトゥトタ」に聴こえてきたりする、その音のニュアンスで、「今日会えてうれしいよ」なのか、「なんか調子悪いな~」とか、今考えてることが、聴こえてくるような気がした。

そうすると、言葉は通じなくても、サウンドで、だいたいその人の心が読めるようになってくる。楽器を使って音楽のセッションしている感覚に似ている。

言葉がわからないと思って、悪口を言ってる人、自分の不満をつぶやいてる人、その場しのぎに適当にあしらっている人。いろんな人の心の声を、サウンドで感じる。このことは、耳の感覚を鋭くさせ、神経を張っている状態が続いていく。

すると、複数の人が同時に発声すると情報が交錯して、気が狂いそうになってくる。

太鼓の音のように人の声を聴くと、その人が持っている波動が、その人の状態、状況を説明してくれる。いくら笑顔で口先で良さそうなことを言ったとしても、上っ面で言っている言葉の中に毒が盛り込まれていることもよくある。

人と話して、なぜだか疲れたりするのはそのせいだ。

逆に何も話さなくても、心の正しい人とは一緒にいるだけで元気が湧いてくる。その人の中に偽りがないからだ。

話すだけで、無性に腹が立ってくる人もいる。どこかその人がイライラしていたり、自分を惨めに感じていると、それを他人にぶつけてエネルギーを奪おうとするのだ。

僕は、言葉が通じないのをいいことに、いろいろな人たちの心の中を観察した。

これは想像だけで楽しめる一つの遊びだった。

想像で二人の会話を作ってみる、表情や音色だけでも、かなり心は読み取ることができ、どうして不安そうにしているのか、何を求めてやってくるのか、堂々としている理由や、笑顔の屈託のなさ、そんなものの方が、言葉の意味よりはるかに真実を語っているものだ。

逆に、自分の今の心がわからなくなったとき、膝を叩いたりして自分から出ているリズムを聴いてみる。

「トトトン、タタタン」

なんとなくそれを感じると、「あ、今僕さびしいんだ」とか「うれしがってるな」とか、自分の気持ちがわかってくる。

そうすると、次に何をしたらいいか見えてきたりするのだ。

音楽も、ともすると自分の言葉でないことを話していたりする。楽譜通りの音を出そうとしたり、誰かに合わせて音を出したりすると、自分の音を忘れてしまうこともある。自分の中の音を出そうと探っていると、ときにきたない音だったり、激しい音だったり、そんな本当の音が、自分を驚かせる。

「そうか僕はそんな気持ちだったのか」

理想的な音でなくても、それはかけがいのない今の自分の「本音」なのだ。

そんな日々を送っていると、誰も本当のことを話していないような気がして、それがさびしさにつながって、だんだん疲れてくる。

なんとも、やはり異郷の地に来た感覚だ。あたり前なのだが。

これが「ホームシック」なのか、どんよりと頭が曇ったような状態が続いていた。

きっと日本に帰るまでこんな状態なのだろうと思った。

そんなとき、ある人を見た瞬間、不思議な感覚に包まれた。

その人を、遠くから見ただけで、何か輝いて見え、その笑顔から無限のものがこみ上げていた。

あの人は誰だろう?

その人は、ただのおじいさんに見えたが、じつは牧師で、この村で教会をやっているという。キリスト教の牧師でもいろんな人がいると思うが、こんな僻地にも彼のような人がいるのだと驚いた。この人なら本当に生きるべき道を教えてくれるのではないかとさえ思った。彼と握手して帰ると、なんだか胸の中の霧が晴れたような気分になった。

「これでいいんだ」と思えた。

そして、見上げると、空が真っ二つに割れて真っ黒い雲に覆われ、反対側は血のような真っ赤な夕やけ空になっていた。

あのおじいさんは何者だったのだろう、僕とは握手をしただけなのに……。

僕は日本の「おじいちゃん」を思い出した。

祖父は、キリスト教の伝道師で、毎週日曜には自宅の一室で、小さな集会が行われていた。キリスト教といっても、教会を持たない独特な一派で、キリストのことを「無者」と言っていた。祖父は、空海や老子や、仏教のお坊さんをとても尊敬していた。

あるとき、僕が風邪をひいて寝込んでいると、僕の胸に手を当てて、

「イエスキリストの御名によって、悪霊よ出でよ！」

と三度唱えた。手から不思議な力が出てくるのを感じて、僕はスッと眠くなり、起きるとすっかり元気になっていた。祖父はそんな不思議な力を持っていた。

ただ僕は、祖父にも反発してアフリカに来ていた。

日本から遠く離れたこの地で、急に僕を捉えたのはキリストさんだった。

孫悟空がお釈迦様から離れようとして、お釈迦様の手のひらの中だったという話のように、家から逃れ、迷い迷った地球の果てで——。

自分自身でいる

ある日ルーカスに連れられて、ルーカスの義理のお姉さんの家に行った。

家は丘の一番高い所にあり、手づくりの土の家なのに、とても立派にできていた。

家の隅から隅まできれいに掃除され、ニワトリは太って立派な姿をしていた。

一八〇度草原が見渡せる所に中庭があった。

お姉さんはそこに小さなイスを出して、ルーカスと僕を座らせ、トウモロコシの小さな赤いつぶつぶ（アマランサスのようなもの）をおやつがわりに出してくれた。

彼女は、柔道の達人のようにひきしまって、バランスのとれたきれいな顔と体をしていた。

決して楽ではない顔、そのほほえみは、まるで泣いているかのようだった。

何も話さないうちに、とても正しい人なんだということがすぐわかった。

それは彼女が黒人だからでも、いい所に住んでいるからでも、金持ちのだんなを持っているからでもなく、「彼女が彼女自身でいる」ことに誇りをもっているのが伝わってきたからだと思った。

そのお姉さんとしばらく話をした。

日本人の僕を、特に気づかうでもなく、軽視するでもなく、うらやむでもなく、淡々と話を続けていた。その自分を崩すことなく、揺るぎない態度でいてくれる感じが、心地よかった。謙虚なのか、いい意味で自己中心的なのか、僕にはその中にバランスとでもいおうか「楽しんでいるのだろう」という内面が感じられた。

僕が見たかったのは、こんなあたり前のことだったのだ。

飛行機に乗って知らない土地を旅をし、理想の場所はどこか、生きる意味は何かと惑っていた僕は、初めて会ったお姉さんの「その人自身である」ことの安心と心地よさにうたれていた。お金や、地位や、名声ではなく、良識と、心のバランスを保っている人、世界にはまだこういう人たちがいる。

「彼女が彼女自身でいる」ことは、「僕が僕自身であること」でもあり、それはある意味で理想的な、自分のバランスを保っていくということそのものだとようやく気がついた。

今は僕は、何を選ぶのか、自分で決められる世界にいる。どうするのかわからないとき、いつでも僕の中には、アフリカで見た彼女のイメージがよみがえる。

きびしく、そして強く、けれど包むようなやさしさを持っている。何もない田舎で堂々と誇りをもって生きている人。

自分が七十歳くらいになって、またアフリカを訪れることができたなら、ここに来たいな、と思った。

それまでに僕はどれだけ彼女に近づけるだろうか。

それは僕にできる彼らへの讃歌であり、自分への挑戦だと思いつつ。

マラリア

結局ドドマ周辺ではあまりこれといった音楽を見つけられなかった。

ルーカスにイゼゼを少し習ったり、畑の手伝いをしていたが、そんなことばかりしていても仕方ないので、さらに奥地へ行ってみようと思い、ルーカス家から離れ、首都ドドマに一人戻ったとき、安いゲストハウスの部屋で突然、寒気に襲われた。

旅の疲れから風邪をひいたのだろう。安い食堂に行っては、脂っこいフライドポテトを食べながら回復を待っていたが、ついにチャイを飲むだけが精一杯になって、頭はくらくら、気持ちは悪くなるいっぽうだった。

だんだんやせていく顔、部屋にあるものすべてが、まるで僕を殺そうとしているサインのように感じる。自分の顔を見るのが嫌なくらいになっていた。

持っていたカセットテープも、本も、手紙すら、何一つ僕を助けてくれる力がなかった。ドドマの水はあまりに塩分が多く、それを飲み続けると何かの病気になってしまうらしい。ただの水なのにこんなに体を苦しめるものなのか、今まで思ったこともなかった。水の大切さを思い知った。しかし、今まで風邪で何度も体調を崩したがどうも様子が違う。

夕方になると、寒気がしてきて、ガクガクふるえながら、寝袋を深くかぶる。熱が上がっていく。二時間ぐらい、うなることしかできない。夜八時頃になると、ぴたっと熱も引き、もとの蒸し暑さに戻る。

マラリア?

アフリカで一番に警戒する病気だ。予防薬は切らして飲んでいなかった。とうとうつかまってしまったのか。本当にマラリアかわからない不安のまま、三日もそんなことが続いた。あまりにも辛い。そして治る兆しもない。

しまいには、熱が出ることに慣れてきて、脳みそが熱くなってくると、考えることを停止してしまうのか、ただただ空虚な時間の中を漂い、自分を天井から眺めているような感覚になって、何か快感のようなものすら感じていた。

「このまま死ぬのか……」

そんな言葉がいつしか頭の中で、こだましていた。

なんの助けもない……、あたりまえだ。このゲストハウスには、僕に関係のある人は一人もいない。みんな僕のことなどまったく気にもかけてない。のんきな旅行者ぐらいにしか思ってないだろう。

「死ぬ……？　いや、ちょっと待て、ちゃんとした恋愛だってまだしてないじゃないか！　それにまだやりたいこともある、こんな汚くて、知り合い一人いないところで死ぬなんて……絶対にいやだ」

僕は、ドドマの田舎で出会った牧師のことを思った。あのときなぜ心が晴れたのだろう？　熱にうなされながら、日本で反抗して従おうとしなかった、祖父の教え、キリストさんのことを思った。

「どうか助けてください、どうしたらいいのですか？」

すると、

「そこから出て行きなさい」

どこかから、そう言われたような気がした。

日本を出るときはあんなに「死んだっていい」とやさぐれていたのとうらはらに、「生きてやる！」という怒りにも似た感情が動きはじめた。

四〇度近くの熱で頭がクラクラする中、荷物をまとめて、ドドマのさらに奥地に行くのをあきらめ、とりあえずダルエスサラームの日本大使館に助けを求めようとバス停に向かった。

なんとか生きて日本に帰るんだ、そのためにはなりふりなどかまってられるものか。

恥ずかしがり屋のおぼっちゃまが、「破れかぶれ」に変わっていった。

熱病の朦朧とする意識の中、ダルエスサラームまでなんとかたどり着いた。

ただでさえ暑いダルエスサラームの街を、フラフラと重いリュックを背負って歩くと地獄のようだ。少しは栄養のあるものをと思い、ふだんなら行こうとも思わない高級そうなインド料理屋に勇気を出して入った。スープとチャパティーを頼んだ。

ゆったりと、軽いほほえみをたたえて、インド人が持ってくる。

熱にうなされている中で聴くインドの歌謡と彼らの作り笑いは、何か狂気の沙汰か、死と生の間で砂漠に浮かぶ蜃気楼のように不気味に見えた。

もうろうとして、日本大使館についた。

ひんやりと涼しくクーラーがきいた館内は、他のどこにもないくらい清潔で、静寂に満ちていた。ボロボロの服をまとい真っ黒に日焼けした自分と、まったく釣り合いのとれない白い壁の部屋で、黒革張りのソファーに座らされ、待たされた。

日本の写真集がテーブルに置かれていた。

桜の木の写真が目に飛び込んできた。

美しい桜の中、「花見」が行なわれている写真。

なんて静かで、しっとりした世界だろう。あの景色を見たい。無性に懐かしい。心がなごんだ。この一年、ずっと蒸し風呂のような中にいたせいか、頭をシャキッとさせるような場所に行きたいと思った。死を間近に感じて、僕のＤＮＡが本来の居場所を指し示した。

「日本」

なんだこの国は？　遠い小さな島国が特別不思議な場所に感じる。日本にいたらアフリカに行きたくなり、アフリカにいたら日本が恋しくなる。ないものねだりだ。

「日本語の新聞！」

外の灼熱の暑さをガラス越しに眺め、冷房のなかで日本にいたら絶対に読もうとも思わない新聞の活字を、一字一句、食い入るように読んでは、「フー」とためいきをつく。「日本語！漢字！」涙が出るほど懐かしく、癒されていく。

遠く故郷で、自分と同じ民族が暮らしていて、そこで平和が保たれている。

そんな平凡であたり前のことがとてもいとおしく感じられる。

あんなに、日本が嫌で出てきたのに、なんでこんなに落ち着くのだろう。アフリカのような、昔の生活に帰ることを理想としながら、冷房という目の前の文明にどうしようもない心地よさを感じる自分がいた。

そのあと、大使館の医務官の先生に診てもらい、やはりマラリアだということで注射をして、「バナナン」という薬を半信半疑でもらって、ＹＷＣＡに泊まることにした。

三日ほどすると、バナナンというふざけた名前の薬がよく効いたのか、あるいは日本語の新聞のせいか、驚くほど回復していった。このときから「日本に帰ったら」ということばが、くりかえし出てくるようになった。

ダルエスサラームのゲストハウス

ＹＷＣＡでは、一人部屋は高いので二人部屋にチェックインすると、すぐ相部屋にさせられる。普通のサラリーマンだったり、学生だったり、いろんな人が泊まっていた。

最初はちょっと疑ってみて、まじめそうな人だなと思えたら、話しかけてみる。

イスラム風のお兄さんは、僕が昼ぐらいまで寝ていると、同じようにいつまでも寝ていた。インドから来たという三十歳くらいのサラリーマンは、世界中どこにでも出かけるのが好きだとずいぶんのんびりと話をした。話しやすく気さくな人だ。一人でふらっと出かけて、ぶらぶらして帰ってくるのだと言う。たぶんふだんは忙しい生活をしているのだろう。

旅をすると、人はなぜこんなに素直になれるのだろうか。

ぽつんと一人になって、子どものような目をして、いろんな夢を見てしまうのだろう。陽の入るホテルの一室に、すずしい風が吹いて、何をするわけでもなくボーっとしていると、今がどんな季節で、さっきまで何を考えていたんだか、そんなこともすべて風に流されて、生まれたまんまの心で、ただベッドに大の字になって、まただんだん眠くなってきて、風が母親の手のようになでていく。

誰かに言われたことや、遠い昔の記憶が夢のように浮かんでは消え、そんなことも、はるか遠い出来事に感じる。

旅人には、旅人の時間がある。

日記（ノオト）をつけたり、あれはこうしたほうがいいんじゃないかと一人空想の中で模索しながら自分の未来の身の振り方を考えたりする時間。たまにビジネス旅行をしている人と相部屋になったりすると、まるで自分だけが不条理なことをしているようにも思えてくる。

一階ではディスコパーティーの音が響き渡っている。それが落ち着かなくさせる。買い物に出て、店の人と話をしてまぎらわせようとする。

一人旅は、僕にとって「一人でいる時間」の勉強だった。

何をしてもいいというワクワクする自由な空気の中で、訳もなく有頂天になってみたり、恐れや不安で押しつぶされそうになってみたり、心の中はジェットコースターみたいにかけめぐっていた。

都会のダルエスサラームは、人がいっぱいいるのに、どこよりも孤独なホテルの一部屋があり、そんな環境が妙に落ち着く自分に気づく。

旅人の孤独感と言うとカッコはいいが、もともと会話が得意な方ではないので、どんな人に話しかけられても、自分を表現していく強さを持ちたいと思った。

ようやくマラリアから回復して、バガモヨへ戻った。

しゅんくんと並木くんⅡ

バガモヨへ戻ると、僕が泊まっていたゲストハウスに、しゅんくんと並木くんがいた。

二人ともバガモヨが気に入ったらしく、しばらく滞在していたという。

並木くんの部屋に行くと、フランス語の教科書が並んであった。アフリカはイギリスとフランスの植民地が多い。英語はペラペラだからあとはフランス語を習えばいいと思ったのだろう。残念ながらタンザニアでフランス語はぜんぜん通じない。もともとイギリスの植民地だったが、今は英語もほとんど通じない。肝心のスワヒリ語は話せなかったので、タンザニアでの会話には苦労していた。

オカリナも好きらしく、ゲストハウスの廊下によく並木くんのオカリナの音が響いていた。せっかくアフリカに来たのだから少しは何か身につけて帰りたいと、大きな太鼓を四つも買って、太鼓とカリンバを習いはじめた。

しゅんくんと三人で、ザウォセ家にカリンバを習いに通った。

このころの一日の日課は、朝起きたら近くのチャイ屋の親父と話しながら、チャイを飲む。昼になったら市場に行って飯を食い、午後にカリンバや太鼓を習いに行き、帰ってきたら、ソーダを飲みにバーに行き、時間を過ごす。

三人で、ほとんど一日中一緒に行動しながらずっとしゃべっていた。

人生について、異性について、将来のこと、ありとあらゆることを話していた。

いつもならめったに自分のことを話さない僕も、時間の制限もなく話した。

赤の他人同士だからか、アフリカにいるからか、こんなに気兼ねなく、よく話していられるなというぐらい、誰にも話したこともないことまで話していた。

就職する前の最後の自由を満喫する旅だという並木くんが、インドに行った友だちのことを話していた。インドから日本に帰ってきたら、何があっても「どうでもいいんじゃない」と言うようになって、やる気なさそうな人間になってしまったと言う。

それを並木くんはとても気にしていて、自分もこの旅であんな風になってしまったら、日本で働けなくなるんじゃないかと不安そうに語っていた。

しゅんくんが、「心配しなくても、もうアフリカに来た時点で就職してもうまくいかないから大丈夫だよ」と笑って言う。

確かに、この世界に溶け込んでしまったら、日本の現実に戻ることは大変難しそうだ。

同世代に久しぶりに会って、三人がずっとしゃべっていると、ソーダ一杯で、タンザニアの陽気な雰囲気の中、笑いが止まらなくなったり、時間が永遠にあるような気がしていた。

ほかに遊ぶものが何にもないところにいると、選ぶ自由もないから不自由のように思うが、限られていると、逆に楽しみがいくらでも湧いてくることを発見した。

第七章　アフリカの太鼓

ムワンザ

ヴィクトリア湖の南、ムワンザの東の街ニャングゲ近くのルゲイエというところに、「ブゴボゴボ」という太鼓曲の原型があると宏子さんからきいた。

それを習おうと思いたち、バガモヨのみんなに別れを告げて、ムワンザに旅立った。

ダルエスから十時間ぐらいバスに乗っただろうか。

もちろん知り合いは一人もいないので、ムワンザの警察に、宏子さんからの紹介状を見せに行った。朝早く行ったのが悪かったのか、彼らはみんなチャイの時間だった。事務の書類を入れる扉には、各人のコップと砂糖と、ドーナッツが用意されていて、何時間もぺちゃくちゃとしゃべりまくって過ごしていた。僕が「今、休憩時間なの？」と聞くと、笑いながら、「もう仕事中だよ」と答えた。

僕もお茶をもらい、取り扱う人が来るのを待っていたが、何分待っても来ず、代理の人で事を済ますことになった。

聞かれたことはといえば、何をやりに行くのか、というようなことだったが、それが話の始まりで、空手をやっているかとかおしゃべりがはじまった。僕を子どもだと思って、こまごま説明しようとしたようだったが、本当はおしゃべりがしたかっただけなのだ。

いよいよムワンザから、バスでニャングゲ、さらにルゲイエへと向かった。

アフリカ旅行に少し疲れていた。

日本の常識やモラルとまったく違う所に来て、あまりのカルチャーショックの連続のせいだろうか。脳が限界にきていて受け入れを拒否していた。僕はただ太鼓を叩いていたかったはずだ。そんなことを考えながら、ルゲイエという村にやって来た。

バスから降りて、夕暮れの中を見知らぬおじさんに連れられてたどりついたのが、リアクさんの家だった。

そこは、リアクさんとその妻たち（何人もいる）と子たちの家が円状に並んでおり、真ん中が広場のようになっていた。

長老の住んでいる奥の家へ案内された。暗い部屋に九十歳ぐらいのおじいさんがいた。

「ジャンボ（こんにちは）」と挨拶したが、いぶかしげにジッとこっちを見ている。ぶ厚いメガネをかけた、ひょろっとした体の老人だが、どこか気の抜けない感じがした。

「おまえは女か」

「いえ、男です」

宏子さんからの紹介の手紙を見せはしたものの、どうやらそんなに甘くはないようだ。みんなの視線は冷たかった。

しかし三人の息子たちだけが、僕のことを快く受け入れてくれた。

お客様用の小屋（三部屋くらいの小さな家）が用意されて、泊まれることになった。

「大丈夫だよ。心配しないでいろ」

マクングという息子さんが、やさしくそう言ってくれた。

食べ物がない

ある日、主人のリアクさんが僕の泊まっている小屋に尋ねてきた。ふだんは威厳を保ち、旅人の僕とは言葉を交わさない彼なのだが、どうしたのだろうか。

「お金を貸してくれ、みんな食べる物がない」

話を聞くと、子どもたちこそ少し食べているが、大人は朝から何も食べてないと言う。

「本当に一銭もないんですか？」

「誰も持ってないのだ」

家族が三十人くらいいるのに、一銭も持っていないとはどういうことなのだろう？　そんなになる前に何か手は打てなかったのだろうか？

でもこれもアフリカなのだ。「なんとかなるさ」で、どこまでも行ってしまうのだ。

泊めてもらっているお礼もかねて、お金を少し渡した。

このおじいさんは不思議な人だった。彼はいろいろな職業を持っていた。かじや、太鼓や踊り（ンゴマ）の名人、そして伝統的な薬剤師でもある。

あるときまたリアクさんが僕の小屋に来た。

「足を切ったから薬をくれ」

「ありゃ、こりゃ深いね」

年寄りだと一カ月はかかりそうな傷だった。

三日くらいたって彼は足を見せにきた。きれいさっぱり直っていた。

「あれ、どうして？」

彼はニヤリとするだけで何も言わない。
彼に何歳か聞いてみると、「一〇九歳だ」と言った。
彼には七歳の子どもがいる。
「うちのおじいちゃんは九〇歳だよ」と言ってみた。
「まだ若いな」と彼は軽く言った。

ウガリ

ご飯の時間、女の人がウガリを運んできてくれる。
いつも誰かと囲んでつっ突き合って、ウガリを食べる。
一皿に、山盛りになったウガリを、みんな手づかみで食べていく。
食べようとして、誰かの手とかちあったり、見ていないようで、食べたかどうか気遣って
ドカッと、僕の目の前にウガリを置いてくれたり、
何も話さず食べているが、食べるセッションをしているかのように、
なぜだか不思議な一体感を感じる。
輪になって、地べたに座り、一つの皿の食べ物を分け合っている、自分の分量を見ながら、

相手の量も見ながら。野性的な感覚の中で、

「君のものは僕のもの、僕のものは君のもの、だから自分の命と同じように、君の命を見守る」

という無言の会話を交わしているような気がした。

けむり

自炊をするためによく火を焚いた。焚き火が好きだった。

東京でそんなことやったことはないので、最初は火をつけるまでに時間がかかったが、やっているうちにだんだん慣れてきた。

草を燃やすと、煙がもくもく登って行って、空とつながるような気がする。

赤い〝おき〟の状態になった火で肉を焼く。まるみのある赤外線は、肉もまるく焼ける。だんだんと油がにじんで、こげめも少しつくように、あわてないで焼く。

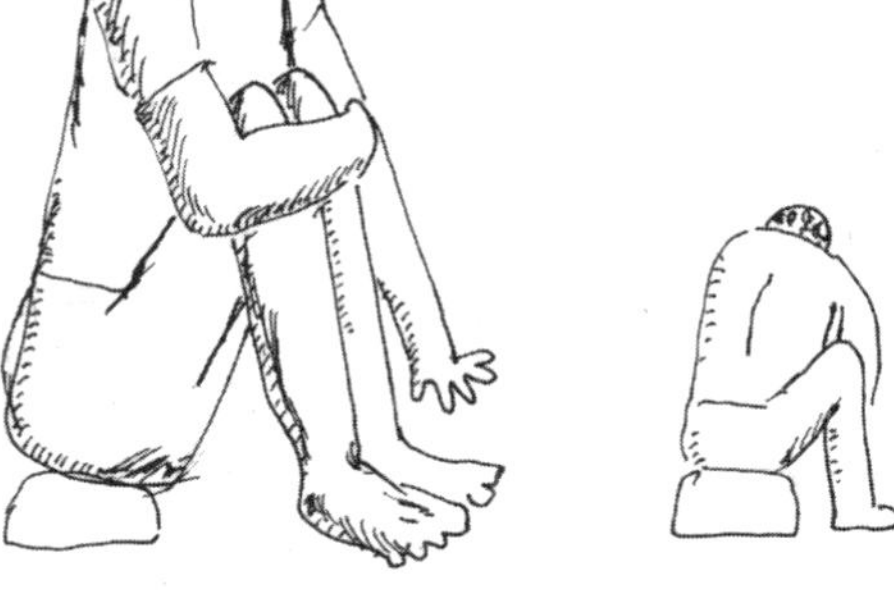

肉を焼くことは人との関係に似ている。あわてて火を強くするとすぐにこげるし、火が弱いとなま焼けだ。おいしく食べるには、あせっちゃいけない。中くらいの火かげんで、気をつけて、じわじわと焼いていくのだ。

燃えてくる火を眺めていると、いままであったことを、想い出したり、その一つひとつをまた心で受け止め直させてくれたり、さまざまなイメージがめぐっていく。

僕にとって焚き火とは、そんな時間を与えてくれるものだ。

一人でいる時の焚き火は、孤独を解き放ち、新しい扉を開いてくれる。

リアク家の牛の世話をする仕事は、ヨセとマジャニいう男の子の仕事に決まっていた。

朝から牛追いに出かけ、昼に一回戻り、また午後に出かけた。

牛追いから帰ってくると、地べたにすわって、ボーっとしている。

二人とも何も話さずに、ただただ座っていた。

その「ただ座っているだけ」ということが珍しく、いつも窓から眺めていた。

一時間でもただそうしているときもあった。

マジャニはたばこが好きだった。僕の所に来ては、

「コイケたばこ」と言って、一本持っていく。彼はまだ十九歳だった。

なのに、やけに年をとった顔をしていた。学校を小学四年生ぐらいでやめたと言う。

そのせいか、いまだに給料をもらうような仕事につけないし、リアク一家が招かれて太鼓で演奏するときも、メンバーに入れてもらえない。いつも穴の空いた服を着ていた。

そんな彼の笑い顔に味があり、いろいろ苦労してきたのだなと思える皺があった。人柄もやさしくほがらかで、無限に包んでくれる何かがあった。

ほとんどしゃべらないのだが、全部わかっているようだった。

そんな彼が、たばこを吸うときは、この世の幸せという顔をして、深く吸いこみ、ゆっくりと鼻と口から煙を出す。半分まで吸うと消して、後で吸うんだとマッチ箱に押し込み、胸のポケットにしまう。

彼がタバコを堪能すると、部屋じゅうにのったりした空気が広がり、みんなが落ち着いた気分になった。

そんな彼を見ているのが、僕は好きだった。

田んぼと太鼓の日々

太鼓のレッスンは、一日一回だけだった。

彼らはイネを植えるのに必死で、とても日本人にかまっている暇はなかった。僕も何回か田植えを手伝った。朝五時から起きて、みんなでくわや道具をかついで裸足で出ていく。田んぼは日本と同じ水田で、日本の海外協力隊が作ったポンプで水をくみ上げている。田植えの仕方も日本とほぼ同じ。素足で泥の中に入って、背中を丸めて植えていく。イネの大きさが日本の苗より少し大きい。十人ぐらいで一つの田んぼを、歌をうたったり話をしながら植えていく。何時間も植えているのに、話はいつまでも続いていて、話せば話すほど盛り上がっていき、みんな仕事をしながら、笑いがたえなかった。

ちょっと腰を上げると、はるか地平線の彼方に、バオバブの木がポツンを生えているだけだ。遠くに動物がいたりすると、

「アホアホ!」(ほらあそこだあそこだ!)

とみんなで指さしている。僕が見ても何も見えないのだが、彼らには遠くにチーターが走っているのが見えてしまうのだ。

僕は、田んぼの仕事がとても楽しみだった。

毎日じゃり道を三十分くらい歩いて、体を使って仕事をして、昼に帰ってごはんを食べて、昼寝をしてまた出ていく。こんなことが日本でもできたらなあ、と思った。

日本から逃れてきて、いつの間にか昔の日本に出会っている。そんな風にも思った。

一日一日が、過ぎていった。

毎日自分の中の価値観が変わっていく。

明日の僕には、今やっていることもなんの意味も持たないものかもしれない。

「明日死ぬと思ったら、物事がシンプルに見えてくる」

今やりたいことをやってみる、それが唯一の指針だった。

たまに何かにめぐり合う。そのとき、これが探していたものなのかと、その瞬間を感謝した。

アフリカの太鼓

リアク家は、太鼓と踊りを見せに、週に一度くらいの頻度でトラックで出かける。

ダンプの荷台に太鼓とダンサー、ドラマーを積み込み、僕も乗って、朝に出発。

助手席に乗ったリアクさんの合図で、荷台で太鼓の演奏がはじまる。

ものすごい音で会場に乗り込み、何かがはじまるぞ、という雰囲気になった。

彼らは、政府が催すエイズのキャンペーンなどに呼ばれてンゴマをやるので、この辺ではみんなよく知られていた。

太鼓をはじめる前に、必ずやることがあった。

フィルムケースに入れた黒い液体を、太鼓の皮や、踊り手のひたい、歯にすり込むのだ。

「この薬をつけた太鼓の音を聞くと、お金を出したくなってしまうのだ」

と彼らは言う。

ムワンザの太鼓は、木をくり抜いてある下がつぼまったずんどうに、牛皮が張ってあり、和太鼓に似ていた。

編成は、大太鼓と小太鼓に分かれて、七人ぐらいで叩く。生の太鼓はすごい迫力がある。「ブゴボゴボ」という曲は、収穫を祝う踊りの曲で、秩父屋台囃子に似ていたが、リズムがどんどん変わっていく。三拍子になったり変拍子になったり。

踊りは、鍬を振り回してはげしく踊るから、見ている人を飽きさせなかった。

太鼓がはじまる。

サンダルをはいている足の下から、何かのパワーが湧いてきて、少しむずがゆくなる。そのうち股のあたりがムズムズとしはじめ、手に血がザーと流れていくのがわかる。目の前で踊りがはじまると、自然と笑いがこみ上げてくる。

青空の上に向かって、彼らは太鼓を発射した。

どこかの誰かに、祈りが届くように。

太鼓のスピードをみんなが少しずつ上げていく。

かん高い小太鼓の乾いた音のつぶつぶが、シャワーのように、頭のてっぺんにふりそそぐ。

バスドラムが、ドンドンと、地面の底から、僕のおなかにボディブローを入れる。

笛の合図とともに、ハチャ切れる。

ナイフのような高音のカンカンした出だし、その後に四、五台の大太鼓の連打が続く。

まさに空気や空間、世界のものすべてを変えてしまう瞬間。

振り上げるバチの先には太陽と天が、振り下ろす太鼓の下には地球という大地がある。

天と地が、太鼓を叩くことによって一体化してしまうのだ。

そして、その中間にいる人間は、汗を流しつつ、自分のやることを心得ている。

彼らは叫ぶ。口をあけ、舌をふるわせて。

踊り手は地面にしっかり足をふまえて、手を天にあげたかと思うと、また下を向いて、地面をさわり、地面に感謝しながら、また上を向く。上があれば下もある。

陰と陽、そのくり返しだ。

嫌なときがあればいいときもあるのだ。彼らはそれを知っている。

だから踊りの中にも、そのことが出てくるのだ。

歌が太鼓に重なってくる。

そのすべてが、大編成オーケストラの協奏曲の迫力をしのぐ音楽に聞こえてくる。

はたして彼らは、大昔から、こんなものを持っていたのだろうか？

踊っている彼らの笑い顔は、生活のすべてを自分の中に受け止めて、自分や子どもや親や友だちのために、今日生まれたばっかりのような明るさで飛び出ようとする笑顔だった。

その一〇〇パーセント命のまんまで、僕の前で踊っている。

燃えている、どこまでも熱く燃えている。

見せかけや、お金のためじゃなく、義理やつき合いでもなく、打算でもなく。

すべてを捨て、文字通り裸のまんまで、守るものは何もないまま、そこにある土と光の中に体を投げこむ。

みんな、それを見ると、そうだ、これだった、と何かを思い出す。

間違ったっていいじゃないか。ありのままで。決まりなんか一つもなかったんだ。

僕らはただ単に、生きているだけなんだ。その笑顔が、そう僕を思いっきりつつみこむ。

本物の太鼓（ンゴマ）は、やはりすごかった、

アフリカ人には、きっと目に見えないものが見えているのだと思えた。

僕はただただ、涙が流れてくるのを止めることができず、みんなを抱きしめたくなった。

彼らがあんな風に純粋に笑って踊るのを見ていると、自分の中の不純な部分がポロポロと剥がれ落ちていくような気がした。

人を信じよう。友だちを思いっきり抱きしめ、謝ろう。

疑ったりしたことや、競い合おうとしたことを。
嫉妬や、許そうとしなかったことを許して、仲良くなろう。
力ずくで夢を叶えようとしたことや、自分の弱さを他人のせいにしたこと。
大切な友だちをまた信じよう、素直な気持ちで迎えよう。
偏見を持って見てしまった人をしっかりと見直そう。
はたして上だとか下だとかそんなものがあったのだろうか。
あれが正しいとか正しくないとか、関係ないんだ、お互いの間では。
人はやっぱり頭や体だけではない。愛があふれていた。
アフリカ人は、知っていると思う。
生命の尊さ、笑うということ、の大切さを、
ラジオより風の方が尊いことを、
テレビより星空の方が偉大なことを、
本より焚火の方が大きいことを、
人より海の方が深いことを、
一人より二人の方がいいことを、
タレントの写真より友だちの写真のほうが重いことを、

コンピューターより心の方が正しいことを、
新聞より自分の方が信じられることを、
過去や未来より今の方が大切なことを。

チャイの時間

夕方の太鼓のレッスンが終わると、チャイの時間だった。

みんなで歩いて、村の中心にあるチャイ屋さんまで行く。

大通りに面したチャイ屋のおばさんが、
店の真ん中で火を焚き、チャイを作っている。それをお客さんが囲む。

このチャイの時間が、彼らにも僕にとっても唯一最大の楽しみだった。

あげパン（マンダジ）と一緒にチャイを飲む。

チャイ屋のおばさんはいつも騙されてばっかり。お金をチョロまかされて、パンを取られて、チャイを少し「おかわり」とせがまれては、困ったような顔をしながらついであげて、
でもなんだかとても幸せそう。

チャイ屋では、いろいろな噂が飛びかう。あの人があんなことをしたとか、あれはまずい

とか、正直いってあなたは間違っているとか、たまにはケンカもあったりする。嫌われている人にも、チャイ屋のおばさんは、温かくてあまいチャイを運んでくる。スワヒリ語で「愛してる」は「ナクペンダ」。ふだんから冗談で、ほとんど挨拶がわりに「ナクペンダ」を使っている。チャイ屋のおばさんに話しかけると、

「おまえ私が好きなの？、じゃあ日本に連れて行ってよ」

と言ったりする。なんといっていいのか、困っていると、みんなが大笑いしている。

チャイ屋から帰ってくると、毎日家の中庭では焚き火をしていた。よく燃えそうな草をたくさん持ってきて。夕焼けの時間から、夕飯の時間までが、焚き火の時間だった。夕焼けと同じ色の真っ赤な火を眺めながら。何を話していたかわからないけど、おじいさんがゆっくりと低い声で、ボソボソ話をしていた。子どもたちは、火を囲んで、おじいさんの話をじっと聞いている。長くそこにたたずんでいる日もあれば、すぐに解散してしまう日もあった。焚き火のまわりで聞いたおじいさんの話を、子どもたちはきっといつまでも忘れないでいるのだろう。

待合室

「待合室」ムワンザでマラリアにかかったときのことを書いた詩。

ある日お医者さんの待合室で
おじさんが話しかけて来たんだ
最近この街で起こったことを話していたよ
あの牛がどうしたとかあれは大変だとか
ずっと話してたけど僕我慢して聞いていたよ
そのおじさんと話すの別に嫌いじゃなかったんだ
意味のない長話のようにも聞こえるけれど
暇な時間を何にもなしで過ごすよりマシなのさ。
そのうち隣にいたおじさんも入って来たよ
難しい顔をして本気で説明しはじめたんだ
今度は向かいのおばさんもふむふむ言って聞いているよ
他の人たちも笑いながらじっと聞いてるんだ

いつの間にか待合室は大討論になってしまった
みんな自分の話す番、今か今かと待ってるんだ
そこに綺麗な女の人が通りかかったんだ
お尻をプリプリさせて
そしたら急に話はやんで
違うことを誰かが言ったら
みんな一斉に笑ったよ
廊下中響くくらい大きな声で
笑ったよ
廊下中響くくらい大きな声で
笑ったよ

アフリカの友だちⅡ

マレミの友だちのルビンを紹介された。

ルビンは大工さんで、家に遊びに行くと、二人の子どもときれいな奥さんがいた。彼はアフリカ人ではとてもめずらしくまじめに働く人間で（そんなことを言ってはアフリカの人たちに失礼だが）、毎日きちんとイスやテーブルを作っていた。

僕が緊張気味であまりしゃべらないのを気づかって、

「ここを自分の家だと思って気楽にしていいんだよ」

と言って、落ち着けるようにしてくれた。

「二十一歳で一人旅、大変だね」

口数が少ないかわりに、腹にずしんとくる言葉で僕に話しかけた。

ルビンは日本人のような性格だった。まじめ一本で一家をささえている二十三歳の彼がとても好きになった。

どんなことがあろうとも、自分の道をつき進んでいく機関車D51のような彼も昔はやんちゃ坊主だったという。だから良いも悪いもわかっているのだろうか。

アフリカに来てから僕の中で二つの世界観がけんかしていた。アフリカの考え方と日本の考え方。明るいけどいいかげんなアフリカ人とばかりつき合っていたから、楽しい半面その適当さにも飽きてきていた。ルビンのようなあまりしゃべらず、いつも真実を見すえて、正しい姿勢を決してくずさない人に会うとほっとする。

違うからこそ、楽しい、似ているから楽ということもある。

どちらが良いということはないけど、とにかくアフリカは、日本とはかけ離れた世界だった。彼らを理解することなんて、本来とうてい無理なことだ。

いま見えてきたのは、自分がひたすら「日本的」であるということだった。

でもそれは大切なことなのかもしれない。

ハダカ

朝、起きるといつも、子どもとにわとりの声がする。

子どもたちが、どんなに大声を出してもだれも怒ったりする人はいない、
だから大声で泣く。誰も「うるさい」と言わない、ただ泣きやむまで泣かせておく。

幼児はハダカで、おちんちんも出しっぱなし、おしっこもその辺でしてしまっている。

中庭の地べたにそのまま座って、土まみれのまま大きくなる。

家の中も土間なので、年中ハダシで土にさわっている。

生まれたときからハダシなので、足の裏がゾウの皮のようにぶ厚くなっている。

僕もまねをして一度ハダシで歩こうと挑戦したが、足の裏がズルむけになって、二、三日

まともに歩けなくなってしまった。

そうやって育った子は、知らずに皮膚も丈夫になるし、自然とたくましく育っていくのだろう。口からはいつもよだれをたらし、鼻水もじゅるじゅる、目ヤニもいっぱい出てて、全体的にぐちゃぐちゃになっているが、誰もかまわない。

三歳ぐらいからはパンツもはいて、一応服も着てはいるが、泥だらけで、また地べたに座っている。その辺に落ちてる空缶を持ってきておもちゃにしたり、棒があればそれをひっぱたいて太鼓のまねをしている。

女の子

リアク家のマレミが、僕のハーモニカに興味を持って、貸してと言ってきた。

彼がハーモニカをふくと、彼の気持ちが伝わってくる気がする。

マレミには好きな女の子がいた。

フローラといって、通りの茶屋の店番をしている子だった。

「彼女とならば結婚してもいい」そう言っているのを聞いたことがあった。

マレミの兄ちゃんのマクング（リアク家の長男）と、お茶を飲みに行ったとき、フローラ

が、お茶を運んでくれたので、僕はちょっと緊張した。それを見てマクングが、

「フローラが好きか?」

と聞くので、つい冗談まじりに「うん」と言ってしまった。するとマクングは、

「ちょっと待ってろ」

と、彼女のところに話にいった。

フローラは、恥ずかしそうに笑っている。それから何度も僕は、茶屋に通った。

フローラがいつも恥ずかしそうにお茶を持って来てくれるのがうれしかった。

同じリアク家でも、何番目の奥さんの子どもかで、ずいぶん待遇が違うようだ。マレミは
いつも穴の空いたシャツだが、マクングは、ちゃんとした格好をしている。マレミは、お茶
を飲みに行くような余分なお金は持っていない。

あるとき茶屋から帰る道の途中で、マレミに会った。

マレミは僕のとなりを歩いた。いつもより口数少なく何か考えている風だった。

僕は茶屋でフローラに会っていることが後ろめたかった。

マレミが僕にまたハーモニカを貸してくれと言った。

「マレミ、フローラが好きなんだろ」僕は勇気を出して聞いてみた。

彼は何も言わずにハーモニカを吹いていた。

彼の本当の心の中がどうだったかはわからない。もしかして泣いているのかも、もしくは本当に気にしていないのかも、怒っているのかも。

「いいんだよ、気にするなよ。お前は友だちなんだから」

口ではそう言っていたが、僕には彼のハーモニカが、何か言っているような気がしてならなかった。ハーモニカだけが真実を語っているような気がして。

それ以来、マレミはフローラのことを口にしなかった。僕らの中にわだかまりが生まれた。

ある日、マレミと散歩していたとき、僕は突然相撲を仕掛けた。

フローラのことで、モヤモヤしていた感情をどうにか解消したかったのだ。

彼はなんのことだかわからず、ただその強い腰で僕を止めようとするだけだった。

「これはスポーツだ！」と言ったが、通じたのかわからない。

僕は誰かと女の子を取り合って、殴り合い、取っ組み合いのケンカをしたことがない。テレビでそんな「青春」の場面を見るたびに、勇気のない自分を情けなく感じていた。僕は何でそんなこともできないのだろうとずっと思っていた。「青春」をしてみたい、でもそんな思いは恥ずかしくて、日本ではとてもやってみようと思えなかった。それをここで、ぶつけてみたいという気持になったのだ。

仕掛けてはみたが相撲にもならず、ただ僕がだだっ子のように、マレミを押したり引いたりしたにすぎなかった。それでも全力を振り絞ったら、マレミに簡単に投げ飛ばされてしまった。地面に腰を打って、青春ドラマはただ痛いだけで終わった。

でも、ポカンとしているマレミをみて、やってみてよかったと思った。フローラをめぐるマレミとのわだかまりという青春ドラマも、あこがれたテレビの青春の汗も、僕のただの妄想にすぎなかったとわかったからだ。

ムワンザを後に

アフリカ太鼓も、目標にした「ブゴボゴボ」を覚えることができた。

日本に持ち帰ろうと、奮発して大きな太鼓を買ったらお金が底をついてしまった。

お世話になったマクング、マレミ、サカイとお別れの酒盛りをした。

サカイは大酒飲みだった。いくら飲んでも酔わないと言う。ワンズキというハチミツでできたお酒を一ケース飲んで、まだ酔っていない。僕の分も飲んでくれと言って相当の量を飲ませたが、少し赤くなる程度だった。夜中の二時くらいまで、ワイワイと飯を食ったりしていた。みんなで初めて酔っぱらって過ごした。

僕は完全に酔っ払って吐いたりして、しまいには地面に仰向けにねっころがり、満天の星がくるくる回るのをながめながら、こんな、アフリカの片田舎で、一体何をしているんだろうと思った。

フローラが、帰る前の日にお別れを言いにきた。

僕が挨拶すると、少し冷めたような切ない笑いをして、何も話さない。僕はどうしたらいいのか分からず、ただ黙ってしまうだけだった。マクングが、

「放っておけよ、よくあることさ」と言った。

バスはルゲイエを出て、わけもなく急いでムワンザに向かっていた。

手もとに、五〇〇シル（約一八〇〇円）しかなかった。ナイロビまで行けば、トラベラーズチェックを換金できる。一泊もせず、ムワンザからそのままナイロビ行のバスにのると、大きな太鼓の荷物の代金を払えといわれた。その金もなかった。困っていたら、バス会社の人がかわりに払ってくれた。

「日本に帰ったら手紙をくれよ」

彼はそれだけ言った。昼頃、バスがどこかの街に止まった。

みんなは途中下車し、レストランへ食事をしに行ってしまった。僕は一人でバスに残った。

身なりのちゃんとしたアフリカ人が、僕に、

「ごはんは食べないのか」と聞いてきた。

「うん、お金がないんだ、でも大丈夫」と言ったら、

「ついてこい」

と言ってレストランへ連れて行ってくれた。

なんの考えもなく、フライ魚の定食をたのんだ。しばらくして僕の前にフライ魚がきたので食べようとすると、前の席のアフリカ人にきたのは豆ごはんだった。しまった。ずいぶん無神経な頼み方をしてしまった。冷や汗が流れた。申し訳なさそうに食べていると、笑いながら、

「気にしなくていいよ」

と言う。その言葉がまた重く、魚を食べる手は、いつものようには動かなかった。

何も気にしなければ、「ありがとう」とサラッと言って終わりなのだろうが、気の利かない自分が恥ずかしいのと申し訳ないのとで、ほとんど何を食べたのか、何を喋ったのか覚えていない。僕は、頭を何度も下げて「ありがとう」を言うだけだった。逃げ出したい思いにかられながらも、自分がたくさん持っていると出さなくてはならないが、持っていないと出してくれる、アフリカ人の心意気がありがたかった。

第八章　アフリカン・ドリーマー

ふたたびナイロビへ

お金はすっからかんだった。ナイロビへと突っ走るバスの中で、所在ない旅人の切なさと自分の弱さを噛み締めていた。

バスの中は、ビールを飲んで冗談を言っている人、寝ているおばちゃん、トランプをしている人、いろいろな人が誰かれなく、話しかけては、その話題に突っ込みを入れる。アフリカ人の気さくさが出ている光景だ。しかし、みんな生活のために働きに出かける人ばかりだ。出稼ぎに行く人、商売に行くインド人、物売りに出る人、季節労働者がほとんど。その中で唯一の日本人の僕だけが旅行者だった。

酔っぱらいが僕をネタに笑っていた。あまりにもみんなが日本人、日本人と大笑いするので、だんだん腹が立って、

「ウナセマジサーサ！（なんて言ったんだよ！）」

とおもわず言ってしまった。みんなびっくりして黙ったが、またすぐ、

「おーっと、あまり言うとカンフーでやられちゃうよ」

とクスクス笑い、もとに戻った。ここでカンフーとは空手のことだ。

ナイロビに着いたのは夜九時ころ。ムワンザから十二時間ほどかかっていた。

バス停からそれほど離れてないゲストハウスは後払いだったのでそのまま泊まれた。

翌朝、早速トラベラーズチェックを現金にかえようと街に出た。

田舎の風景をさんざん見てきた目からナイロビを見ると、アフリカの中でこれだけ栄えて、水や食べ物の豊富にある場所があるということ自体、信じられない。

路上のベニヤ机で売っている一袋二〇粒入りのピーナッツとバナナ二本を残っていた小銭で買う。それが朝食の代わりだった。銀行が開くのを待って、トラベラーズチェックを現金化した。

お金が手に入ると、とたんにもとの自分に戻って、あるものすべてがあたり前のように感じる。たばこ、サングラス、カセット、映画、車、チョコレート、コンサート——。ここ以

上に栄えた東京に戻るのかと、少しゆううつに思った。

ゲストハウスの中庭で洗濯しているおばさんや、手仕事をしながらのにぎやかな井戸端会議や、頭に荷物を乗っけて歩く女性たちのかもし出す田舎のにおいにホッとする。

田舎のボロ小屋で売っていたものは、ナイロビのインド人経営のショーウィンドーの手の届かない所におかれている。オヤッと思って手に取るたびに、インド人が愛想笑いを浮かべ、どこを見てしゃべっているのかわからないセールストークで寄って来る。

バス（マタトゥー）は、相変わらずデカイ音でボブマーリーをかけて猛スピードで走っていた。そろそろ東京に帰ろうと思っていたのでそのためのいいワンステップだと思いたかったが、やはり都会（ナイロビ）は、気が休まらなかった。

ナイロビの音楽は、もっぱらリンガラミュージックだ。ザイールでは「ルンバ」といわれている、ポップなアフリカ音楽だ。最初はなじめなかったが、生で聴いたときから好きになってしまった。

西洋の楽器を使ったとしてもアフリカの音楽は、こうなってしまうのもわかる気がする。ドラムセットは、血の通った音に変ぼうするし、ギターも電気と肉体が一体化しているような気がした。

ダンスをやる男の人が、前に三人ぐらい出て、歌いながら踊る。クールに歌うが、コンガのリズムはアフリカのままだった。西洋的な要素を入れつつ、物質文化すら、すべてのみこんで、それでもがむしゃらに生きようとしているアフリカの姿のように、僕には感じられた。昔の太鼓（ンゴマ）が、生活の中から生まれたのなら、今の音楽もやはり今の生活の中から生まれる。新しいものはいつも最初認められなくても、次第になじんでくるものなのだ。

ナイロビでも、暇な時間はチャイを飲んで過ごした。

白人や日本人、ミュージシャンらしき黒人が来ると、声をかけて話をしたりした。

太鼓のある所にはしょっちゅう出かけて、見たり踊ったりした。

でも、ナイロビにはまったくの土着的な太鼓は見当たらない。歩いている人々の中に流れている音楽は、ヒップホップかリンガラだろう。

公園で寝ころがることがナイロビでは唯一自然に近い気がして、僕には安らぎだった。

アフリカに来たばかりのころは、芝生に座ってボーっとしていることが理解できなかったが、今ではそうした人たちの気持ちがわかる。自然に触れていたいのだ。

見知らぬ人が声をかけてくるときもあったし、知っている人に偶然会うこともあった。

東京でも、このテンポで生きられたらなぁ、と思った。

ファーストフードの店に入ると、店内はほとんど鏡ばりになっていた。フライドポテトとチャイを、ひとり鏡に向かって食べる。なんてさびしい光景だろう。自分の姿を見て、なぐさめつつごはんを食べている。たしかに食べるのは早くすむが、たくさん食べても、ちっともお腹がいっぱいになった気がしない。

レコード屋に入って、昔聴いていたラップなど聴いたが少しも興味をひかず、いろいろ探しているうちに、「レオ・セイヤー」という人の「Just A Boy」というアルバムをみつけた。題名が気に入って試聴した。日本ではほとんど無名だが、そのときの僕の感情に響いてきて、少し気が楽になった。

レオ・セイヤーは、イギリスのアイリッシュの血を引く白人で、ソウルシンガー、ビリー・ジョエルに似た歌だった。白人なのに、黒人の音楽のようなソウルを感じた。本当に「ただの子ども」のように、裸の声で歌っていて、ポップミュージックの中で、本気で仕事をしている一人だと思った。

ジャケットは、レオ・セイヤー顔の、星の王子様の絵で、裏はパーティーの格好のレオ・セイヤーが三人、その後ろにピエロのレオがさみしげにいるという、本当の姿は、いつも後ろ側に隠れている絵だった。「僕はただの子どもだった」と何回も歌う声が自分とかぶってきこえた。

LPを表と裏両面聴かせてもらって、買って帰ることにした。

ボロボロの、なんだかわからない薄暗いレコード屋だったが、レコードが好きで売っている、という感じがした。

きっと大丈夫

誰とも口をきく気がせず、何をする気もおきずに、ゲストハウスに閉じこもっていた。あたり前だが、ナイロビではまったくの他人しかいない。アフリカに着いたばかりのとき、見知らぬ日本人に言われたことを思い出した。

「決して誰一人信じちゃいけないよ……アフリカはそういう所だよ」

あのとき、寂しいと思った言葉も、今はうなずける。都会ではあらゆる人、あらゆるものがニセモノに思えて、東京にいたころの引きこもりの僕と何も変わらない自分がそこにいた。

アフリカの田舎で、あんなに安心していたのに、今は嘘のようにまた怯えていた。

ふと思い立って、ムワンザで習った太鼓のフレーズを、まくらを太鼓にして練習してみた。

旅をして来たことを思い出し、少し勇気が湧いてきて、

「大丈夫、きっと大丈夫だ」そう思うことができた。

外に出て、街をぶらついていると、映画館で人が音楽に乗せて何かしゃべっていた。まるでラップのようだ。そしてお客ものっている。日曜の映画館は教会になるのだった。

そこは、自分の罪を懺悔する場であり、これからの生活がもっとよくなるように祈る場所だった。入場無料だというので入ってみた。

映画のときより明るい客席に着き、周りをみると、席の前にひざまずき、黙々と祈っている人あり、「アーメン」と言いながら涙を流す人あり。舞台に上がっている牧師たちは、今日の日の懺悔と、私たちがどうしていったらよいのかを話している。

日曜日のナイロビにあったのは祈りの心だった。音楽がリズミカルになってくると、お客は立ち上がって手拍子をし、踊り出した。心の底から声を出しゴスペルを歌う。身にまとっているものは背広や何か洋服だが、心の中はまさに裸のまんま、神にささげて、歌い踊っている。祈りとともに歌い、神を賛美する踊りを踊っている。人は歌わずにはいられない。

彼らは、踊っているとき、歌っているとき、笑って話しているときに、神とともにある瞬間を持っている。仕事をしているときでも歌って祈っている。彼らこそ、神と一日中話をしている人たちなのだ。

変なおじさん

そんなとき、

「ハロー！　日本人？」

日系人みたいな発音で声をかけて来た人がいた。うなずくと、フゥーと一息ついて、

「ごはん食べた？」

と聞く。「いやこれから」と言うと、「一緒にいかない？」と誘われた。これは怪しいと思いながらも、別に用事もなかったので、ついていった。ずんずんと力強く道を歩き、見た目はおじさんなのに若かった。高級そうな店に慣れた様子で入るので、いよいよ怪しいと思い、「僕お金ないよ」と言うと「大丈夫、私大丈夫」と勢いよく返された。おごってくれるってことか？　今、会ったばかりなのに？　ますます不安になった。

とりあえずビールを頼み、サイコロステーキも頼んだ。お金持ちのようなので、あまり気にせずに、お言葉に甘えることにした。すると、

「僕は東京オリンピックで金メダル」

と言いだした。東京オリンピックの水泳で金メダルだと言うから、五〇歳近いはずだ。日本人にもたくさん知り合いがいて、演劇のニナガワは親友だと言う。蜷川幸雄のことだろうか。こっちで商売をしていて、ナイロビにはホテルを持っていると言う。たしかに、顔が広いらしく、店の人も親しげに、彼の言うことに従っていた。

僕が太鼓を勉強しに来た、と言うと、「援助してやる」と身を乗り出した。僕の泊まる所、

学費、生活費もすべて出してやる、と言うのだ。

あまりの話にびっくりして、今まで普通に食事をしていたのに、急にしゃべれなくなってしまった。お金の話になるとどう返事していいのかわからなくなった。あれを言ったら失礼なんじゃないか、これを言っちゃだめなんじゃないか、と気をつかうしまつ。相手の話をただひたすら「はぁ」と聞いているだけで、おいしいはずのステーキの味もまったくわからなくなってしまった。

スポンサー？　なんのために？　そんなことばかり頭によぎる。

「じゃぁ明日、一時に。ここで待っているから」

と彼はレジでさっさと支払いを済ませると、一回振り返って、じっと僕を見てから、また力強くうなずいて、街の中に消えていった。

ゲストハウスに向かいながら、複雑な気持ちだった。

次の日、ともかく部屋を引き払って、十キロ近くある大きな太鼓をかかえ、ヘトヘトになって一時にレストランについた。

いくら待っていても、彼は来なかった。一時間ぐらいすぎて、どこかで「援助」ということばにつられた自分の甘ったれた根性が情けなくなって店を出た。大きな太鼓がよけいに重く感じられた。ただバカにされたのだろうか？　それにしてもなんで僕に食事をおごってくれたのだろうか。

昨日、お金のない僕に食事をおごってくれたアフリカ人を思った。今日の僕はお金を持っている。やはりナイロビは大都会。ぜんぜん違う人間がいくらでもいる。

アフリカン・ドリーマー

来たばかりのころ助けてもらったカオリさんに電話をした。帰国の挨拶のつもりだったが、

「あら、元気だった？　何してるの。早く、うちへいらっしゃい」

と、まるで日頃の友だちのように言ってくれたので、彼女の高級住宅地へ行った。

重い太鼓を下ろし、カオリさんの顔を見たとたん、今までの緊張がいっぺんにほどけてしまった。

「おお、おおきな太鼓だねえ！」

太鼓を見下ろしたカオリさんは、予想以上によろこんでくれた。

夕食をご馳走になりながら、バガモヨの話をしていると、彼女の友だちのサイモンという男がきて、ザイールの川下りの話になってしまった。

彼はいつもなんの前触れもなくカオリさんの家に来て驚かせるという小柄なイギリス人

で、やさしそうな微笑みをする。両親の仕事の関係でこっちに来てから八年、三十歳だ。

「ザイール川をくだった奴がいてさ……」と、カオリさんが話す。

ザイール川下りは旅行者の間では、一種のステイタスにあたるらしく、雑誌にその特集の記事が載っていたほどだった。

「僕もやったよ。」とサイモンがいとも簡単そうに言ったが、カオリさんの話の人は、二度目のときにマラリアで死んでしまったというから、サイモンが言うほど簡単ではなさそうだ。

チャイを飲みながらの楽しいひと時が過ぎるとサイモンは帰っていった。

カオリさんの家は、いつもいろんな才能の人が出入りしているようだ。

「もう日本に帰るの？　チケットはあるの？」

カオリさんは頭の回転が早く、モジモジしている僕の問題を手早く解決した。

「一年のオープン・チケットならまだ日があるから、しばらくうちにいなさい」

カオリさんの命令のような一言で、下宿させてもらうことになった。

「ここにはいろんな人がいるの。とっても勉強になるから。日本に帰って何をするか、ナイロビで考えてから帰ったら」

確かにいろんな楽しい人がいて、それから二カ月ほどカオリさんのお世話になった。

サイモンの家にも、誘われて夕食に行った。小さな借家に一人で住んで、小さいが手入れの行き届いたいい庭があった。フルネームをサイモン・ガーデナーというから、その名の通りだ。一面に花やハーブが生いしげり、ハーブの香りがそこら中に漂っていた。家の中に、数多くの彫刻やろうそくが飾られ、工作室みたいな所で、それらを作ったと言う。彫刻はみんな抽象的な形をしていて、なんとなく気持ちいいという感じだった。

「僕は自分自身のために作っているから、ただの趣味だよ」

と言っていた。収入源としては、英語の先生をしているのだと言う。

取れたてのバジルやセージをサーモンの上に乗せ、オーブンで焼いて、ワインと一緒に、ろうそくの火の中で食べていると、夢の中にいるような気持ちになった。

料理もうまく、自分でなんでもできるサイモンは、生活を楽しんでいた。日本人の彼女がいるとかで、日本語も少し知っていた。いかにもイギリス人らしい、几帳面な性格が台所にも出ていて、コショーや調味料が棚にきちんと並べてあった。彼は、僕が会った人の中で、もっとも謙虚でやさしかった。いろいろなことをしてきた人ほど、謙虚でやさしい。

日本では有名なドラマーの石川晶さんにナイロビで会えたのもカオリさんの紹介だった。

偉い人に初めて会うのでどうしたらいいか緊張してしまったが、会ってみると、普通のやさしいおじさんだった。東京の恵比寿で「ピガピガ」というライブハウスを経営しているというから、社長タイプの人を想像したのだが、本当に偉い人は、偉そうになんかしていない。

太鼓修行者でしかない僕が話しはじめると、じっと見て、よく聞いて、それに答えて、またやさしく彼は話しはじめた。プロドラマーになる道のアドバイスもしてくれた。一緒にいるだけで、彼の中にリズムが流れているのが伝わり、話す言葉一つひとつがリズムとなって、セッションをしているような感覚だった。

おおらかで、人なつっこくて、明るく、アフリカを本当に愛してやまないということがよくわかった。彼を見て、忘れていた何かを思い出した気がした。「謙虚な心、いつも相手の立場に立つということ」。僕は、あんな大人になりたいなと思った。

「また来いよ」と言ってくれた。

帰り道、呆然としながら、足下がまだ震えていた。「やさしさ」は、あれぐらいの大きさがなければ、出せないのではないか、と考えてしまった。

でも、そんな風に打ちのめされてうれしかった。また新しい目標が生まれた。

石川さんを同じ日本人として誇り高く思った。

カオリさんのアパートの同じ棟に、鈴木さんという日本人のピアニストが住んでいた。廊下を通り過ぎると、いつもバッハやモーツアルトのピアノが聞こえて来た。アフリカには三年になるらしい。カオリさんのおかげで、彼とも知り合うことができた。

僕が太鼓をやっているということを知って、「今度一緒にやろう」と言ってくれた。

鈴木さんともお酒を飲む機会があって、

「プロのミュージシャンになるのは、君の思っている一〇〇倍も大変なことなんだよ」

と教えてくれた。

彼はヒルトンホテルのバーで、ピアノを弾いたりしていた。日本では、ひみこというパンクバンドをやっていたらしい。ビールが好きで、しょっちゅう飲んではピアノを弾いている、と言っていた。

「僕らこうやって今日一緒に話しているけど、明日になったら、離ればなれになるかもしれない。そんなもんじゃないですか？」

少し酔った鈴木さんは言っていた。それはいかにもアフリカを愛する人の意見だと思った。アフリカ人も、そんな感じで生きているからだ。

だから今日笑えるんだ、という気持ちなのだろう。

夜中の何時までだろう、時間のことも、年の差まで忘れて、話に熱中してしまった。忘れるということはいいことだ。ふだん無口な彼だが、お酒を飲むと陽気でかわいらしい人になる。握手して、鈴木さんと別れて、廊下を歩きながら、アフリカに住む日本人は、なぜか昔の日本人らしさを残している気がした。涙が出そうになって、しばらく立ち止まってからまた歩き出した。

こんなふうに、カオリさんの周囲にいる人たちから受けたものをなんと言ったらいいのだろう。目に見えないスピリット（夢？）を追いかける人たち。みんなアフリカに魅せられた人たちであることは確かだ。アフリカに来て、アフリカの心をそれぞれが、それぞれの心のなかで自分の形に変えている、そんなふうに思った。それが、それぞれとても魅力的だった。アメリカン・ドリームは古き良きアメリカの誰でも金持になる夢をかなえられると言ったことばだ。しかしここにあるアフリカン・ドリームは、一字違いだけれど、真逆の夢だ。モノの豊かさではない。お金でもない。目に見えないけれど誰にでも持つことができる、人が幸せになるために必要な内側の世界、豊かな心の世界のドリームだ。

ありがとう　Africa

カオリさんの誕生日パーティーに僕のお別れ会も一緒にやることになった。

鈴木さんもココ（ナイロビで習っていた僕の先生）も、ココの友だちも、近所のカオリさんの友だちユミさんも、サイモンも、近くに住んでいた日本人の学生も来て、カオリさんの部屋は大賑わいになった。

鈴木さんと僕のセッションから始まって、ココも、一緒にセッションをした。普通のアパートの一室が、セッション会場になってしまった。

みんな思い思いに飲んだり食べたり、踊ったりしていた。

どんなに騒いでいても、苦情が来ないのがアフリカだ。

それどころか、下の階のおじさんも、入って来て一緒になって騒いでいた。

大騒ぎも終わり、一人ひとり帰っていった。

カオリさんも、今まで見せたこともないくらい、上機嫌で、みんなとハグしていた。こんなコンクリートのアパートの一室でも、日本人だけじゃない、白人も黒人も、女も男も、わけへだてなくつき合える、笑い合えるのも、ナイロビならではなのだろう。

たばこや汗やお酒や人の臭いでいっぱいのこの部屋とも、明日でお別れだ。

ココは、帰りがけおもて通りを歩きながら、大声で、

「クワヘリ（さよなら）」と叫んでいた。僕も大きく手を振って、

「クワヘリ」と叫んだ。彼は両手をいっぱいにのばして、

「アサンテ（ありがとう）」と思いっきりでかい声で言い、
僕も「アサンテ（ありがとう）」と叫んで手を振った。

「トゥタオナナ（また会おうね）」と彼は、しっかりとした声で僕に言った。

「トゥタオナナ」僕も答えた。彼の姿が見えなくなっても彼の声が道に響いて、いつまで

も聞こえていた。ありがとう。本当にありがとう　アフリカ。

帰り道

僕は、帰りの飛行機の中で、アフリカで感じたことを、生きる目標にしたいと思った。

その第一番は、アフリカ人の強さということだ。

たとえれば、彼らは大自然の中に悠然と生えている天然のバオバブのようなものだ。

植林された木とは違って、彼らは剪定もされていなきゃ、肥料も与えられていない。

日本で「変わり者」扱いされてしまうような僕よりも、数段変わりものたちが堂々と生きているアフリカ。僕も、もっと変わっていてもいいじゃないか、という気持ちになってくる。

一人ひとりの違った個性も、アフリカは包み、抱き、許してくれる。

その喜びと安心感の中で、のびのびと力強く命を謳歌しながら、自分の人生を噛み締めて生きている。

生きて存在していることそのものに意味があり、それぞれ自分の時間を持って生きている。

一人ひとりがその人らしく、そのまま出していければいいだけのことなのだ。

なんのとらわれもなく、それを自慢するでもなく、引け目に感じることもなく、ただ正直に神様から受けたまんまを出している。

たぶん楽しいことをみんながしていけば、愛をもって行動すればきっと、世界は自然とよくなっていくんじゃないだろうか。

貧しくたって、金持ちだっていい、悪くたって、バカでもいい。

自由でいい、ウソでもいい、自分でいい、本当でいい、かっこだけでもいい。

日本人、人間である僕たちが、毎日感じるままに生きれば、生命それ自体が、何かを知っているハズなんだ。

そしてせめて、毎日の中で歌うことや太鼓を叩くことが自然にできる社会であってほしい。

太鼓を叩く。

自分のリズムで自分のダンスを踊る。

自分の太鼓で自分の歌を歌う。

祈りのうた、悲しみのうた、喜びのうた。

そして毎日祈ろう。好きな人たちがみんな幸せになることを。

小鳥たちの歌を聞きながら考えたことが、よい方向に向かうことを。

みんながもっと自由になれる社会が来ることを、心から望んで。

日本に帰って

成田空港に着いた。

清潔で、マニュアル通りなスチュワーデスの笑顔が、僕の穴の空いたボロボロの服を笑っているように感じた。ムワンザから抱えて来た一〇キロ近くある太鼓とリュックがベルトコンベアーにのって運ばれて来た。

カートに乗せ、到着ロビーへ向かう。

一番仲の良かった友だちと彼の恋人、母親も迎えにきてくれていた。

一年ぶりに会う友だち、どんなふうに挨拶しようかと思うと、笑顔がこみ上げて来る。

「おかえり」母は無事に帰ってきたので、安心した様子で言った。

「痩せたんじゃない」

「ああマラリアにかかったりしたので・・・」

「え？　それ大丈夫？」

「うん、大丈夫だと思います」

長い間一人旅だったせいか、思わず敬語を使った。

「おい、敬語なんて使うなよ」と友だちに笑われてしまった。

成田にて

とりあえず一杯お茶でも飲もうと、空港を歩く。

みんな忙しそうにテキパキ歩いている。たくさんの人がいるのに、まったくぶつかったりしないことが新鮮に見える。

ファーストフードの店に入って、

「アフリカってどんなところだったの？」

待ちかねたように友だちが聞く。

「うーん、なんというか、夏休みみたいにのんびりしていたよ」

「それって最高じゃん」

あんなに話したかったのに。
伝えたいことが多すぎて、うまく言葉が出てこない。
何から話していいのかわからなかった。
大きな太鼓を友人に持ってもらい。
空港から、混雑する電車に乗り込み、
実家のある西荻窪へ向かう。
僕はしばらく電車から、東京の風景を

眺めていた。ビルがいくつも通り過ぎて行く。東京の風景は、懐かしくもあり、少しよそよそしくもある。なんでもないように、電車は僕たちを運んでゆく。日本の良さにもたくさん気づいて帰ってきたはずなのに。なんでだろう、少し尻込みしてしまう。

アフリカで、騙されたり、ひどい目にあったり、恋をしたり、病気になって死にそうになったりしたことが、まるで夢の中の出来事のように、リフレインしている。

窓を眺めながら、フーとため息をつく。またビルがいくつも通り過ぎて行く。

「なんだかリュウのそばにいたら汗かいてきちゃったよ」

友だちが言った。アフリカの熱が伝わったのだろうか。

西荻窪の駅で降りて。

「じゃあ、またね」と言って、友だちたちは帰ってしまった。

僕は、太鼓を横に置き、母が車で迎えにくるのを待っていた。

塾に通う少年、サラリーマン、たくさんの人たちが、せわしなく目の前を通り過ぎる。

ここが僕の生まれた街。いつもと同じ風景のはずだ。

となりにある大きな太鼓に触ってみる。

やっぱり夢ではない。

アフリカの響きが、熱く僕の体にこだましていた。

エピローグ――アフリカの夢

日本に戻った一九九三年に、宏子さん、田中さん、友だちの駒沢レオくんとともに、「ハクナタープ」というダンスと音楽のグループを作り、活動をはじめた。

同じ年に、ザウォセさんとバガモヨプレーヤーズも日本にやってきて、全国で公演した。

その後も、ザウォセさんは、甥のチャーリーや他のメンバーを連れて何度も来日した。

日本だけでなく、世界中で彼らは公演し、世界中がアフリカを夢見た。

みんなアフリカの風を感じ、元気をもらった。

二〇〇三年、フクウェ・ザウォセさんが六三歳の若さで亡くなり、後を追うように、チャールズ・ザウォセも逝ってしまった。

まだ、三四歳だった。

チャーリーとは日本の公演の合間に何度も会った。

ホテルの一室でチリンバを奏でては、笑い合った。

僕のことを、「ドゥグ（兄弟）」と呼んでくれた。それは友だち以上という意味だ。

彼が演奏で使っていた、大事なカリンバを、僕はもらった。

彼らが世を去って、タンザニア伝統音楽の一つの時代が終わった。

若い僕は、弱く、劣等感をたくさん持っていた。

それゆえ、夢を見てアフリカに行った。

アフリカで得た太鼓の腕前を、日本での活動で発揮し、太鼓を叩くことで、僕は特別な存在であり続けたかった。他人から認められること、もてはやされることで、「ここにいてもいい」生きていてもいいと、自分で自分に価値を与えていた。

でも、僕は少し無理をして、アフリカに成り切ろうとしていたのかもしれない。

アフリカから学んだ、たくさんのエッセンスは、僕のエネルギー源であり、僕の一部であることに変わりはない。

あれから二十八年がたつ。僕の中の一つの時代も終わりを迎えている。

僕自身は、あまり変わっていないと思う。ただ少し、自分を大目に見られるようになったかもしれない。本文中の、「木の下の男」という章のように、そのまんまで、価値を認めてもらえる彼のように、僕はもう、アフリカ人の真似をしなくても、そのまんまの自分で価値があると、思えるようになった。

この本が、僕のアフリカ体験の、卒業論文かもしれない。

ザウォセが作ったタンザニア伝統音楽。今はザウォセの息子や、家族が受け継いでいる。古いエッセンスと、新しい感覚を融合しながら、活動を続けている。

ケニアにいたカオリさんは、日本で「フータローの森プロジェクト」を立ち上げ、エチオピアに木を植える活動をしている。

宏子さんは今でも、タンザニア人のグループが来日するとツアーに同行して、日本中をかけ回っている。
みんなそれぞれ、一人ひとりの世界観の中で、自分らしい生き方を、選んで生きている。
人生という、作品を作っているみたいだ。
人生がそれぞれ違うように、
「旅」は一人ひとりに違った意味合いを与えてくれる。
楽器の、チューニングを少し変えてみるみたいに、
また違った音色（ノオト）、ハーモニーが生まれる。
他の人が、アフリカに行ったら、
きっと僕とは違ったことを感じるだろう。
その人に合った響きを、
きっとアフリカは与えてくれるのだと思う。
それは誰のものでもない、
その人独自のチューニング、その人ノオトなのだ。
僕は今岡山で暮らしていて、薪でご飯を炊いたり、お米を作ったり、カリンバを作ったり、畑仕事をしたりしながら演奏活動を続けている。

ザウォセさんが大事にしてきた、

「暮らしが音楽を生み出す」

という生活を軸に、僕も自然な暮らしの中から音楽を奏でていたいと思う。

アフリカからもって帰ったンゴマ

コイケ龍一（小池龍一）

1971年、東京武蔵野市に生まれる。和光学園高等学校卒業後、アフリカに行き、タンザニア国立芸術大学にて音楽を学ぶ。帰国後、演奏活動をしながら、植木職、農業を営む。2019年、Cafe & Kalimba ホシメグリを美作市にオープン。岡山県在住。http://oyayubipiano.work

アフリカノオト

太鼓とカリンバの旅

著者　コイケ龍一

初版印刷　2020年10月22日
初版発行　2020年11月 1日

発行者　小池朝子
発行　スタジオK
〒181-0016　三鷹市深大寺2-33-27-102
電話　0422（90）5985

発売　河出書房新社
〒151-0051　東京都渋谷区千駄ヶ谷2-32-2
電話03-3404-1201（営業）
http://www.kawade.co.jp

カバー絵：Bela Unclecat
印刷・製本　亨有堂印刷所

ISBN978-4-309-92215-7